La collection « Girouette »
est dirigée par Michel Lavoie

Bibliothèque publique du canton de Russell
Township of Russell Public Library
717 Notre-Dame, Unité-Unit 2
Embrun, Ontario K0A 1W1

L'adieu aux Chevaliers
La piste des Youfs III

L'auteure

Ann Lamontagne a fait une entrée remarquée en littérature jeunesse en 2001, son roman *Les Mémoires interdites* se retrouvant parmi les finalistes au Prix du Gouverneur général ainsi qu'au Prix du livre M. Christie. Ce que les gens ignorent peut-être, c'est qu'elle écrit aussi, pour le lectorat adulte, des histoires à l'écriture riche et à l'imagination fertile.

Bibliographie

Trois jours après jamais, roman, Hull, Vents d'Ouest, « Azimuts », 2002.

La Cité des Murailles (*La Piste des Youfs* II), roman, Hull, Vents d'Ouest, « Girouette » n° 4, 2002.

Samhain – La nuit sacrée, roman, Montréal, Éditions Alexandre Stanké, 2001.

Sabaya, roman, Hull, Vents d'Ouest, « Ado » n° 37, 2001.

Les Mémoires interdites, roman, Hull, Vents d'Ouest, « Ado » n° 34, 2001.

Le Petit Parrain (*La Piste des Youfs* I), roman, Hull, Vents d'Ouest, « Girouette » n° 1, 2001.

La Flèche du temps, roman, LaSalle, Hurtubise HMH, 1994.

Ann Lamontagne

L'adieu aux Chevaliers

La piste des Youfs III

aventure

collection G I R O U E T T E

Données de catalogage avant publication (Canada)

Lamontagne, Ann

La piste des Youfs

(Collection Girouette ; 1, 4, 8. Aventure)
Sommaire: 1. Le petit parrain -- 2. La cité des murailles -- 3. L'adieu aux chevaliers.
Pour les jeunes de 10 ans et plus.

ISBN 2-89537-024-9 (v. 1)
ISBN 2-89537-041-9 (v. 2)
ISBN 2-89537-059-1 (v. 3)

I. Titre. II. Collection: Collection Girouette ; 1, 4, 8. III. Collection: Collection Girouette. Aventure.

PS8573.A421P57 2001 jC843'.54 C00-942254-4
PS9573.A421P57 2001
PZ23.L35Pi 2001

Nous remercions le Conseil des Arts du Canada de l'aide accordée à notre programme de publication. Nous reconnaissons l'aide financière du gouvernement du Canada par l'entremise du Programme d'Aide au Développement de l'Industrie de l'Édition (PADIÉ) pour nos activités d'édition. Nous remercions également la Société de développement des entreprises culturelles ainsi que la Ville de Gatineau.

Dépôt légal – Bibliothèque nationale du Québec, 2003
Bibliothèque nationale du Canada, 2003

Révision : Raymond Savard
Correction d'épreuves : Renée Labat
Illustrations intérieures : Designtonik
Infographie : Christian Quesnel

© Ann Lamontagne & Éditions Vents d'Ouest, 2003

Éditions Vents d'Ouest
185, rue Eddy
Hull (Québec) J8X 2X2
Téléphone : (819) 770-6377
Télécopieur : (819) 770-0559
Courriel : ventsoue@ca.inter.net

Diffusion Canada : PROLOGUE INC.
Téléphone : (450) 434-0306
Télécopieur : (450) 434-2627

À Jérémie-Antoine
le premier petit-fils de Florian

Prologue

On aurait dit un coucher de soleil à l'envers. Peu de temps après son apparition, la lune était montée dans le ciel comme une grosse pomme de tire sortant d'un chaudron, énorme et pourtant aussi légère qu'un ballon. Elle s'était ensuite rapidement éloignée de la terre, perdant en opulence et en couleur ce qu'elle gagnait en altitude. Le guetteur attendit qu'elle ait repris sa taille normale, que l'ombre du petit bonhomme qui scie du bois dans la lune réapparaisse, pour quitter son abri sous les pins. Aucun signe de vie n'émanait de la grande demeure.

C'était bon, il pouvait y aller. Il s'avança à pas de loup sur la pelouse si dense qu'on aurait dit de la laine. En quelques longues enjambées, il atteignit le seuil de la porte de service où il ouvrit un étui qui contenait de petits instruments de précision. Ni la serrure, pourtant imposante, ni plus tard le tableau de contrôle du système d'alarme, ne lui opposèrent la moindre résistance. Il monta à l'étage sans une hésitation, franchit une porte, ferma les stores de bois et prit place devant le bureau du maître de maison. C'était une fameuse idée de lire les magazines de décoration qui offraient aux lecteurs les plans des plus belles maisons, leurs secrets les plus révélateurs, sans s'inquiéter de l'usage que certains pourraient en faire.

Avant de choisir cet endroit, le jeune homme avait examiné avec soin les photographies prises à l'intérieur de la maison, puis celles de la façade et de l'arrière de la propriété en relevant les détails particuliers des fenêtres et des murs en saillie, de façon à situer avec précision l'emplacement de chacune des pièces.

Du regard, il fit lentement le tour du bureau. Tout était semblable aux photos du magazine : les orgueilleux meubles de chêne, l'épagneul en plâtre aux yeux tristes, les hautes enceintes acoustiques qui ressemblaient à des tours sombres et, déposé sur une table de bois clair, un puissant ordinateur modèle de l'année. Le plus dur était fait.

Chapitre premier

Quand septembre revient

– LES MAC sont supérieurs, c'est évident !

– Dans une île déserte peut-être ! Au moins quatre-vingt-dix-neuf point neuf pour cent des terriens utilisent des PC. Et ça, c'est grâce à Bill Gates, l'homme le plus intelligent de la planète.

Yan avait prononcé le nom du fondateur de Microsoft avec tout le respect qu'il accordait d'habitude à Ace Ventura, son personnage de film préféré.

– C'est un voleur d'idées. Les vrais inventeurs de l'ordinateur, ce sont des gens de chez Apple.

– Ah oui ? Qui ça ?

Ils étaient dans la petite salle à manger des Dion où un Mac, identifiable à sa pomme arc-en-ciel sertie dans le plastique, trônait avec tous ses périphériques étalés autour de lui comme autant de fiers vassaux au service du roi.

– Les noms, c'est pas important, pas un PC n'arrive à la cheville d'un Mac, tu sauras.

– Bon d'accord, dis-moi ce que ton plouc d'ordi peut faire que le mien ne peut pas ?

José n'en avait pas la moindre idée. Il s'assit devant l'écran sur lequel des grille-pain ailés poursuivaient des rôties, posa la main sur la souris et, aussitôt, les grille-pain disparurent, remplacés par un grand carré bleu enluminé de petites icônes : un globe terrestre, une enveloppe, un disque compact, un gros crayon, une corbeille à papier...

– Tu vois, toutes ces images, ce sont des logiciels. On en a des tonnes. Mon père a fait une super affaire ! Regarde, si je double-clique là, sur ce gouvernail, je vais me retrouver sur Internet.

– C'est pareil sur l'ordi de mon père ! C'est quoi ce dragon, là en bas à droite ?

– C'est à Rémy, défense de toucher. Je pense que c'est une sorte de fichier secret.

Yan leva les yeux au ciel. Quand ils avaient dû se servir d'Internet lors de leur

Township of Russell Public Library
Bibliothèque publique du canton de Russell
dernier combat singulier contre les Youfs, c'était Marco, le frère de José, qui s'était tapé tout le travail. José immobilisa sa main sur la souris, cherchant une échappatoire quand les grille-pain réapparurent pour faire la chasse aux toasts. Trop heureux de cette diversion, José se leva sans demander son reste.

– Je pense que c'est l'heure. On y va ?

Les Chevaliers blancs s'étaient donné rendez-vous en ce dernier jour de vacances pour décider du sort de leur chevalerie. Près de deux ans s'étaient écoulés depuis qu'ils avaient fondé leur ordre et l'arrestation du Petit Parrain et de sa bande remontait maintenant à plus d'un an. Depuis, plus rien, *nada*, zéro, *cero*. Ils avaient fait leur cinquième année, grandi d'au moins une tête chacun, sans que rien vienne interrompre le cours tranquille et ennuyant de leur existence. Quelques jours plus tôt, excédé par des vacances moroses et croyant sans doute lancer de la sorte un défi au destin, José avait décrété qu'ils devaient ou bien se trouver une nouvelle cause à défendre ou bien dissoudre la confrérie.

Ni le destin ainsi interpellé, ni les membres de l'ordre, représenté par Yan, Big Ben, Marc-André, Louis-Jacques et Alexandrie, n'ayant réagi à son ultimatum,

Bibliothèque publique du canton de Russell

José s'attendait à devoir prononcer l'arrêt de mort de la confrérie cet après-midi même. À mesure que le moment approchait, il sentait son estomac protester et sa résolution fondre comme du beurre au soleil.

Il avait vraiment cru qu'il se passerait quelque chose, avec cette ferveur qui lui restait de l'enfance et que ses douze ans lui autorisaient encore.

Yan et José arrivèrent bons premiers au lieu de rendez-vous. Les parents de Marc-André étaient absents pour l'après-midi, ce qui laissait aux Chevaliers blancs toute latitude pour tenir leur réunion. Lorsqu'ils furent installés, José prit son courage à deux mains et la parole, en tant que Premier Chevalier.

– C'est à moi qu'il revient d'ouvrir la séance, mais c'est à nous tous que la décision de maintenir ou de dissoudre notre chevalerie appartient.

Et il ajouta, plein d'espoir :

– Évidemment, si un seul d'entre vous s'oppose à la disparition de l'ordre, nous devrons nous plier à sa volonté.

Une fois les règles du jeu établies, José lança son plaidoyer :

– Par deux fois, nous avons vaincu le Petit Parrain et les Youfs, sauvant l'honneur de notre blason. Mais il faut se rendre à l'évidence, nous sommes devenus des chevaliers sans cause. Il est temps de décider si nous en prenons une nouvelle ou si l'époque des chevaliers est révolue.

Yan, qui avait fait couper ses boucles brunes en brosse, ne conservant qu'une longue mèche qu'il teignait au gré de son humeur, lança avec dédain :

– Moi, je vote pour qu'on passe à autre chose. Ces histoires de chevalerie, c'était bon pour les p'tits culs qu'on était dans le temps. Réveillez-vous, on est en sixième ! On est les plus vieux de l'école, on a passé l'âge de jouer aux gendarmes et aux voleurs.

– Je ne suis pas d'accord.

José, qui avait toujours considéré Alexandrie à l'égal des autres Chevaliers blancs, malgré les cinq ans qui la séparaient d'eux, la trouva soudain aussi belle qu'un matin d'été avec ses cheveux chocolat rehaussés de mèches roses, ses lèvres comme des framboises mûres et ses joues hautes qui s'empourpraient souvent. Il allait être d'autant plus bouleversé quand il apprendrait ce qu'elle était venue annoncer au groupe. Elle toussa pour s'éclaircir la voix :

– Je ne crois pas que votre confrérie devrait être dissoute, une chevalerie meurt à la mort de son dernier chevalier, pas avant ni autrement.

– Tu parles de notre ordre comme si tu n'en faisais pas partie !

– Justement, puisque tu en parles...

Le rouge lui était monté aux joues, la rendant encore plus ravissante et inaccessible.

– ... Je n'ai jamais vraiment été un Chevalier blanc. C'est arrivé comme ça, on a combattu ensemble, mais je ne suis pas une véritable chevalière et puis, il y a autre chose...

José fit un faux mouvement et son soda aux cerises se répandit comme un funeste saignement sur la table blanche.

– ... Je déménage à Montréal, je suis déjà inscrite au cégep là-bas.

Le plus dur était fait. Elle ajouta avec conviction pour tenter de racheter sa défection :

– Mais s'il se passe quelque chose de vraiment grave, vous savez tous que vous pouvez compter sur moi. Je vais vous laisser mon numéro de téléphone.

Finalement, l'ordre obtint un sursis jusqu'aux Fêtes et les Chevaliers regagnèrent leur auberge respective sous un rideau de pluie, le cœur en deuil de leur chevalière.

Chapitre II

Ordinatum

C'ÉTAIT un fait notoire chez les Dion : le père de José, Rémy, méprisait l'informatique. Or, sans que personne sache pourquoi au juste, il avait brusquement changé d'opinion vers la fin des vacances. Selon José, il avait sans doute eu de mauvaises fréquentations. Toujours est-il qu'il était rentré du travail un bon soir en chantant les louanges d'Internet.

À l'entendre parler, se passer d'un ordinateur pour l'*Homo sapiens sapiens* équivalait à refuser de profiter de l'invention du feu pour l'*Homo erectus* du pléistocène. Peu de temps après, la « Chose » était arrivée et avait pris racine sur la table de la salle à manger. La « Chose » était un Macintosh d'occasion, d'où le réquisitoire timide de José pour défendre l'honneur des Apple auprès de Yan.

Monsieur Dion commença son plan de rattrapage informatique en lion, tint une semaine à ce rythme avant de s'apercevoir que la programmation de son cerveau n'était pas faite pour ça. Marco, qui fréquentait depuis longtemps les vieux ordis de ses amis, mis à jour à l'aide de barrettes d'extension mémoire, de modem et de logiciels, hérita donc du Mac, au grand soulagement de José qui échappa d'une façon inespérée à l'emprise de la machine.

Les deux premiers jours d'école se déroulèrent sans anicroche. Il s'agissait de trouver des surnoms aux nouveaux professeurs. Il fallait aussi inspecter les manuels en lambeaux reçus en héritage des anciens de sixième et graver de mystérieuses inscriptions dans les livres neufs. La douloureuse question de la chevalerie sans cause restait en suspens.

Le jour de la fête du Travail, Loulou-œil-de-lynx débarqua à l'appartement des Dion, les bras chargés de paquets. Elle les déposa avec précaution sur le divan et se tourna vers José.

– C'est une surprise. Viens m'aider à transporter le reste.

Vu la quantité de boîtes, ça n'avait pas l'air d'être la trottinette turbo-propulsée qu'il espérait, mais les surprises de sa marraine étaient en général merveilleuses. Chandail du capitaine Haddock, patins à roues alignées, billets du Cirque du Soleil, vélo de montagne. José n'avait aucune raison de se méfier. Il la suivit plein d'espoir jusqu'à la voiture. Le suspense risquait de durer, car les boîtes qui lui étaient destinées étaient toutes enveloppées et enrubannées. Ils transportèrent le précieux butin jusqu'à la chambre de José et là, il comprit que l'ennemi était dans la place.

– José ! Viens souper, ça va refroidir !

– J'arrive m'man.

Il fit une nouvelle tentative pour établir la communication avec le serveur, mais ça n'allait pas du tout. Il essaya de nouveau, sans plus de résultat.

– José ! On t'attend pour commencer !

– Oui, p'pa.

Il tenta de sauvegarder son message, appuya sur la mauvaise touche, et le texte disparut de l'écran sans espoir de retour. Excédé par sa propre maladresse, il se décida enfin à aller manger au moment où une troisième sommation arrivait de la cuisine.

Le cadeau de Loulou était resté dans un coin de la chambre pendant quelques jours avant qu'il consente à ouvrir une première boîte, puis une seconde, jusqu'à ce qu'il ait pu voir toute la marchandise. Ensuite, il n'avait pas pu résister à la tentation de brancher les composantes les unes aux autres, histoire de voir si ça fonctionnait. Il avait balayé du revers de la main les objets non virtuels qui squattaient sa table de travail, empilé assiettes et verres sales un peu partout entre les livres et les caleçons, puis disposé avec délicatesse unité centrale, écran, clavier et modem à côté d'un spaghetti de fils. Sur chaque objet, la signature de la pomme arc-en-ciel était bien en évidence, ce qui fit sourire José. Il remercia silencieusement Loulou d'avoir eu le bon goût de choisir le camp Apple ; au moins n'aurait-il pas à changer d'allégeance devant Yan.

L'idée de faire appel à Marco pour l'aider à brancher son ordinateur lui était vite sortie de l'esprit. L'expérience lui avait appris que dès que son frère mettait un pied dans sa chambre, il se comportait en seigneur du château. En échange de son aide, il aurait exigé des heures d'utilisation, trop heureux de passer du vieux Macintosh poussif de Rémy au Power Macintosh de son petit frère. Les somptueux cadeaux de Loulou-œil-de-lynx étaient une pomme de discorde notoire dans la famille. Pour le plus grand malheur de Marco, c'était Monique-la-pingre qui s'était penchée au-dessus de son berceau le jour fatidique où il devait se voir attribuer une marraine et, depuis, il avait reçu de cette fée indigne les cadeaux les plus ineptes qui soient, jusqu'à des pyjamas ! Or, avait-il clamé sur tous les tons au cours des semaines suivantes : « Qui, je vous le demande un peu, est intéressé à recevoir des pyjamas en cadeau ? » Il s'estimait donc justifié de prélever sa quote-part sur les étrennes de José, quand il jugeait que ça en valait la peine.

Au milieu du repas, Rémy s'arrêta brusquement de manger. Il venait d'avoir une de ces idées fixes qui lui tombaient dessus à intervalles réguliers. C'était bien beau Internet, ça pouvait être éducatif et tout et tout, mais d'après ce qu'il venait d'apprendre par les journaux, il était évident que tous les chemins de la toile ne menaient pas à Saint-Pierre de Rome. Il pensa aux recettes d'explosifs, aux sites pornographiques, aux discours haineux, et il écarta son assiette à moitié pleine.

– Qu'est-ce qu'il y a, p'pa ?

– Où en es-tu dans tes installations ?

José rougit en baissant le nez vers son assiette ; il croyait que personne n'était au courant qu'il avait ouvert son cadeau.

– Tu penses être prêt à naviguer sur le Net bientôt ?

– J'sais pas. Ce soir peut-être.

Marco lui jeta un regard méprisant.

– Ça m'étonnerait. Tu n'y connais rien.

– Il est prêt à fonctionner, tu sauras !

– C'est ce que je disais, les problèmes vont commencer ! Mais t'inquiète, je suis prêt à te donner un coup de main.

Et il ajouta avec une douceur suspecte :

– C'est fait pour ça les grands frères, non ?

– Oublie ça ! C'est MON ordi !

– Ça va ! Ça va ! J'attendrai que tu viennes me supplier à genoux et je poserai mes conditions. C'est toi qui l'auras voulu, microbe. Il faudra que tu te prosternes, ça va faire mal !

– Les garçons, on se calme ! Et pendant qu'on y est, je compte sur vous pour vous servir d'Internet avec dis-cer-ne-ment, sinon, je serai obligé de prendre des mesures. On se comprend, j'espère ?

Mado leva un sourcil dubitatif en regardant son mari ; Marco marmonna un « ouais, ouais, pas de problème » qui semblait vouloir dire qu'il comprenait, et José hocha la tête de bas en haut. Il ne savait pas à quoi Rémy faisait allusion, mais la prudence semblait de rigueur.

Chapitre III

Qui s'instruit s'enrichit

SON VISAGE ressemblait à celui d'un modèle de la Renaissance tant il était immobile et découpé avec finesse, ainsi éclairé par la lumière de l'ordinateur. Le Petit Parrain profitait du calme de la grande maison pour la dernière fois. Demain, les légitimes propriétaires rentreraient de voyage et trouveraient leur domaine dans son état de perfection habituelle. Jamais ils ne se douteraient de la venue d'un étranger dans leurs murs.

Il était d'autant plus satisfait qu'il avait repéré une autre maison vacante pour la suite des choses. La riche famille des Farewell venait de partir pour une expédition au Yukon et leur maison serait inoccupée jusqu'aux Fêtes. À moins d'imprévu, il pourrait donc y installer son « siège social » pour une durée record de trois mois.

Ce qu'il y avait de bien avec les riches, c'est qu'ils achetaient toujours la meilleure qualité d'ordinateurs et qu'ils voyageaient beaucoup. L'ère des domestiques étant révolue, ils confiaient leurs précieux biens à des télédétecteurs sophistiqués inventés par des cerveaux humains qu'ils croyaient à l'épreuve des cerveaux humains. L'intrus savait par expérience que, pendant l'absence des occupants, les seules personnes admises sur ces propriétés énormes et protégées des regards étaient des hommes d'entretien, chargés de prendre soin du terrain. Ils n'avaient pas de clés de la maison, puisque les puissants systèmes de sécurité s'occupaient de tout.

Un an auparavant, incarcéré dans un centre pour délinquants, le Petit Parrain avait passé des heures à jouer à *Castle Vania* et à *Zelda*, les grands classiques du puissant empire Nintendo, et il avait rapidement atteint une telle maîtrise que même les éducateurs avaient fini par lui demander ses trucs. Son habileté lui valut l'accès à la salle des ordinateurs du personnel où il rendait divers services en échange de quelques heures de liberté sur Internet.

Son premier contact avec cette fausse vraie autoroute l'électrisa : tant de mondes étaient à sa portée, la liberté de circulation y était telle qu'on pouvait y voyager des semaines entières sans jamais revenir sur ses pas. C'était si passionnant qu'il dût se forcer pour mettre de l'ordre dans ses excursions internautiques. Il découvrit bientôt que les systèmes informatiques, même les plus sophistiqués, ne lui résistaient jamais bien longtemps.

Il s'enhardit à pénétrer le réseau de grandes sociétés. Il jouait tout en finesse. Il observait. Mais cette simple balade sur une mer de données manquait de piment. C'était comme circuler dans un centre commercial sans un sou en poche.

Son premier acte de piratage fut de modifier son dossier dans le fichier central des centres jeunesse. Ses tests d'intelligence étaient impeccables, mais les résultats de son évaluation psychologique laissaient beaucoup à désirer. Il y remédia en ajoutant à la suite des commentaires de son éducateur, des nuances flatteuses qui imitaient le style ampoulé du psychologue. Il composa aussi un rapport élogieux qu'il fit suivre du nom de l'ancien directeur de l'établissement. Le fichier goba tout, demanda l'autorisation de remplacer l'ancien document par sa version modifiée. L'affaire était dans le sac.

Tandis qu'il était perdu dans ses souvenirs, un bruit de clé qu'on tourne, suivi du brouhaha caractéristique de gens qui rentrent à la maison après une longue absence, lui parvinrent d'en bas.

– Triple Merde ! Qu'est-ce qu'ils font là ?

Il éteignit l'ordinateur en vitesse, ouvrit les stores et évalua les possibilités de fuite par cette issue. Aucune. Il y avait bien un petit balcon en fer forgé, mais il surplombait une rocaille comportant un bon lot de pierres acérées. La maison était pourvue de trois escaliers, l'un central, les deux autres à chaque extrémité du couloir, tous visibles à partir des pièces principales du rez-de-chaussée.

– Marie ? As-tu touché au système d'alarme ? Il est désactivé !

– Non, mais ça ne m'étonne pas, tu perds la mémoire depuis quelque temps. S'il n'est pas ouvert, c'est parce que tu as cru l'avoir fait avant notre départ et que tu as oublié.

– Voyons ! La compagnie nous aurait avertis s'il était resté débranché pendant deux semaines !

– Tu peux toujours rêver ! Je suis morte de fatigue, je monte me coucher.

Le Petit Parrain jeta un coup d'œil dans le couloir. Il y avait cinq portes, mais il n'avait pas vraiment le temps d'en faire le tour. Il revint sur ses pas cherchant un endroit où se cacher.

– Attends ici, je vais voir si tout est à sa place.

L'homme monta les marches d'un pas fatigué et se dirigea vers son bureau. Il alluma le plafonnier, inspecta avec soin, presque avec tendresse, chaque objet familier quand son regard fut attiré par une ombre au balcon. Il s'approcha de la porte-fenêtre, chercha à deviner ce qui avait causé cette impression, mais tout semblait normal et il décida qu'il faisait trop froid pour ouvrir.

– Tu peux monter, Marie, tout est en ordre.

– Viens-tu te coucher ?

– Dès que j'aurai remis le système en fonction.

Assis dans le fauteuil de son nouveau bureau d'emprunt, le Petit Parrain imaginait la tête qu'avait dû faire Charles Pollack lorsqu'il avait découvert au matin que le fameux système d'alarme était encore une fois débranché. La veille, suspendu à la rampe du balcon, les pieds dans le vide au-dessus d'un lot de pierres menaçantes, le jeune homme avait dû attendre que l'homme s'éloigne de la porte-fenêtre pour sortir de sa délicate position. Puis il avait patienté jusqu'à ce qu'un duo de ronflements lui signalent que le couple était endormi. Avec mille précautions, il avait quitté le bureau pour aller débrancher le système d'alarme et prendre la fuite par la grande porte.

En changeant de domicile, il avait gagné au change. La demeure des Farewell était très chouette, remplie d'objets bizarres, de masques, de coffres, de couteaux de collection et de tapis bigarrés. À côté de l'ordinateur laissé ouvert, une grosse bête grise qui ronronnait au milieu des papiers et des livres, la pipe d'Edward Farewell, à demi remplie de tabac, laissait supposer un retour imminent des propriétaires, même si le jeune homme savait que leur absence serait longue.

Il déplaça la souris et, aussitôt, le bureau virtuel d'Edward Farewell lui apparut dans tout son artistique désordre. L'écran était bondé de fichiers disposés sans logique apparente. Il vérifia la puissance de l'appareil (ses octets de mémoires morte et vive), ses logiciels d'opération, celui de navigation, et conclut qu'il était en formule I.

Dès qu'il avait compris que des milliards de données confidentielles, souvent rangées à des milliers de kilomètres, étaient accessibles à partir de n'importe quel ordinateur, son cerveau s'était mis à élaborer des plans pour tirer profit de la situation.

Il appréciait aussi le fait de pouvoir agir seul. De ses anciens complices, Trompette et Bécycle, Gros Pieds, Patate, Chips et Cassonade, Caoutchouc et Doigts d'or, enfin toute la bande des Youfs, seul Doigts d'or faisait toujours équipe avec lui.

L'adrénaline à son maximum, il vérifia que l'ordinateur possédait la fonction ICQ pour les échanges de courrier en temps réel et tapa l'adresse électronique de Doigts d'or, puis un court message :

« A D^2, op ré, n a i, P°. »

Quelques minutes plus tard, le facteur virtuel lui signalait une réponse :

« A P°, c a i, ; -) D^2. »

Doigts d'or était un vrai crack ; il avait une âme de pirate informatique qui s'était révélée au cours de leur détention au centre des Hauts-Fonds. Depuis sa remise en liberté, il logeait dans un minable appartement de la basse-ville. Ses seules possessions terrestres étaient deux t-shirts crasseux, un jean, un PC bricolé à n'en plus finir et son iguane Zoraht, une bête émeraude, la peau douce comme du velours, dont la tête couverte d'écailles lui donnait l'apparence d'un vieux sage revenu de tout.

Pour être sûr de ne pas rater la communication attendue, Doigts d'or était resté devant son ordinateur pendant quinze heures d'affilée sans fermer l'œil. Au terme de cette longue veille, le Petit Parrain s'était manifesté. Doigts d'or avait déchiffré le message en un rien de temps ; il disait : « À D au carré, opération réussie, nouvelle adresse incluse, Padrino. » Sa réponse donnait toute la mesure de son efficacité. « À Padrino, code d'accès inclus (clin d'œil), D au carré. »

Pour obtenir ce précieux code d'accès, Doigts d'or avait dû monter la garde près du bac à recyclage de la société visée, y avait récupéré des masses de documents jetés au rebut, papiers, disquettes, morceaux d'ordinateurs abîmés et avait patiemment remonté le fil de ce casse-tête qui l'avait conduit jusqu'au nom d'un employé et à son mot de passe.

Il n'avait eu ensuite qu'à s'en remettre à un logiciel de recherche pour percer à jour la combinaison du code d'accès désiré. Deux heures plus tard, le logiciel lui fournissait gracieusement la clé pour pénétrer dans la banque de données centrale de la société.

Doigts d'or alla déposer Zoraht sur sa branche et se laissa tomber sur son matelas avec délice. Au moment où il fermait les yeux, à vingt kilomètres de là, usant de l'identité et du mot de passe de l'employé, le Petit Parrain pénétrait dans la fabuleuse bibliothèque virtuelle où étaient rangés les dossiers de tous les automobilistes de la province.

Les dossiers qui l'intéressaient étaient ceux des propriétaires de voiture de luxe qui risquaient de perdre leur permis de conduire pour avoir accumulé trop de points de démérite. Ces gens-là seraient prêts à payer le gros prix pour que leur dossier redevienne blanc comme neige.

Il lui fallait un cobaye pour une répétition générale. Le lourd dossier d'un certain Jean Lenoir semblait idéal. Lenoir avait vingt-huit ans, une Jaguar et un maximum d'excès de vitesse sur une période d'un an. Une arrestation de plus et il perdrait son permis de conduire.

Le Petit Parrain effaça toutes traces de ses nombreuses infractions au code de la route, nota son numéro de téléphone et se dirigea vers la cuisine des Farewell où il savait qu'il pourrait se ravitailler à loisir. Les riches avaient une autre particularité : ils ne manquaient jamais de provisions.

Chapitre IV

Cyberchevalerie

– EH BEN ! Ça parle au diable !
– Quoi ?
Monsieur Dion avait le nez dans son journal, comme si une activité aussi futile pouvait avoir un quelconque intérêt. Il lisait tout, passait des commentaires et, de temps en temps, sortait une de ces expressions qui avaient l'air d'être tombées, comme une pierre descellée, du cachot du comte de Monte-Cristo.
– Un jeune pirate informatique a réussi à entrer dans la banque de données du ministère de la Défense. Un jeune de quinze ans ! Comme ça, pour le plaisir !
Il poursuivit sa lecture avant de s'exclamer encore :
– Non ! Tu ne sais pas quoi ?

– Non, p'pa, je ne sais pas quoi.

– Laurent Sébastien, le policier qui a capturé le Petit Parrain...

Enfin une nouvelle intéressante. Trop pressé de savoir ce qui était arrivé à Laurent, José ne prit pas la peine de rappeler à son père le rôle crucial qu'avaient joué les Chevaliers blancs dans cette affaire.

– ... Il vient d'être nommé enquêteur au département des crimes économiques commis sur Internet.

José réfléchit quelques minutes avant d'entrevoir tout le potentiel de la situation. Pour des chevaliers sans cause, avoir un ami aux crimes économiques était la nouvelle la plus géniale du siècle. Des causes, il devait y en avoir des centaines dignes des Chevaliers blancs. Il avait un ordi, Yan avait celui de son père, même si c'était un minable PC, et Louis-Jacques avait un portatif. Si Big Ben et Marc-André s'équipaient, ils pourraient faire cause commune en patrouillant l'autoroute de l'information et redonner un sens à leur chevalerie.

Le lendemain, José, Marc-André et Louis-Jacques étaient assis sur le bout de leur chaise dans le bureau de madame Séverin.

– Je n'en ai pas contre l'idée, les garçons. Mais Saint-Martin n'est pas dans les plans du Ministère pour les programmes d'informatisation des écoles. Je n'ai pas un sou vaillant à mettre dans l'achat d'équipement.

– C'est nul !

– Laissez-moi faire quelques téléphones. Votre proposition n'est pas si farfelue après tout : pour un laboratoire d'informatique, une dizaine d'ordinateurs devraient suffire, même s'ils ne sont pas de la dernière fraîcheur. Il faudrait ensuite trouver un petit budget pour l'abonnement à un serveur et compter sur le bénévolat de ton frère, José, et de quelques-uns de ses amis, disons trois fois par semaine ?

– Ce serait géant ! On est prêt à s'occuper de tout en échange d'un droit d'accès aux ordis quand ils ne servent pas.

– Il faut d'abord que je voie si je peux trouver des ordinateurs gratuitement. Autrement, pas de labo !

Les garçons n'étaient pas inquiets. S'il y avait quelque chose dont ils ne doutaient pas sur terre, c'était bien du pouvoir de madame Séverin. José avait négocié d'arrache-pied avec Marco pour obtenir sa collaboration. Ça lui avait coûté sa passe de cinéma, deux de ses meilleurs disques compacts et enfin, du temps sur son ordi neuf (comme bénévolat on avait déjà vu plus gratuit que ça), mais le laboratoire d'informatique était le seul moyen que José avait trouvé pour permettre à Big Ben et à Marc-André d'avoir accès à un ordinateur. Or, il se trouvait, par bonheur, que son idée était à la fois politiquement correcte et pédagogiquement défendable.

Fin septembre, quatre ordinateurs mis au rancart par le syndicat des enseignants firent leur avant-dernier voyage jusqu'à l'ancien local de pastorale converti en laboratoire d'informatique, d'où ils ne repartiraient que pour être conduits au cimetière des ordinateurs. Ils n'étaient pas si vieux ; s'ils avaient été humains, ils auraient encore été dans leur prime jeunesse ; s'ils avaient été des chiens, ils auraient été en pleine maturité ; mais pour des ordis, sept ans c'était déjà l'âge de pierre.

Les Chevaliers blancs avaient préparé la salle, établi un mode de fonctionnement et fabriqué une pancarte pour attirer la clientèle.

L'étape suivante consistait à aller rencontrer Laurent à son bureau pour le con-

oire
que

vaincre de leur confier une mission sur Internet.

La petite délégation se présenta au poste de police, convaincue que le jeune policier les recevrait à bras ouverts. Ce ne fut pas exactement le cas. D'abord, l'agent de service montait une garde féroce à l'entrée. Ils durent attendre une demi-heure avant que Laurent vienne les chercher et il n'avait pas l'air tellement content de les voir. Il avait même l'air pressé de s'en débarrasser pour se remettre au travail. Yan se mit à lui chanter des bêtises. Avant que José ait réussi à le calmer, un collègue de Laurent, peu porté à l'indulgence, le sortit du poste de police manu militari, Yan hurlant à l'abus de pouvoir, les autres honteux de la tournure des événements.

Ça devait bien être la première fois qu'il fallait employer la force pour sortir quelqu'un d'un poste de police et cette incongruité finit par leur rendre leur bonne humeur, y compris celle de Yan, qui était après tout le responsable de ce tour de force.

Le jour des inscriptions au labo, quelques *nerds* et un ou deux rejets de cinquième et sixième vinrent examiner l'équipement. Les Chevaliers blancs furent cependant les seuls à encourager Marco, Guillaume et Pierre-Félix dans leur démonstration. Par malheur, ce fut au moment où Marco les initiait à Utopia, un jeu de guerre virtuel, que madame Séverin vint aux nouvelles.

– Je dis ça comme ça, les garçons, mais ce n'est pas pour vous amuser que j'ai autorisé ce laboratoire.

Elle parcourut le local du regard avant d'ajouter d'un ton qu'elle voulait sévère, mais où perçait quand même une note d'indulgence :

– Il va vous falloir des inscriptions et un programme plus rigoureux si vous voulez que ce labo fonctionne.

Sans plus de commentaire, elle retourna vaquer à ses occupations.

Piqués au vif, les garçons quittèrent le site d'Utopia et les cours commencèrent pour de bon.

Chapitre V

Pavillon noir

DANS LA VIE il y a parfois des surprises, parfois même des miracles. Tout au long du mois d'octobre, trop pluvieux pour mettre le nez dehors, et du mois de novembre, trop froid pour mettre le nez dehors, l'esprit habituellement au repos de Big Ben sortit de son long sommeil. Pendant que les autres Chevaliers blancs s'amusaient à courir les forums de discussion, les jeux virtuels et quelques sites interdits pour braver les consignes de leurs parents, Big Ben s'était mis à l'informatique avec ferveur.

Aidé de Guillaume, il se mit à explorer toutes les possibilités d'Internet et découvrit que si, à l'école, il n'était bon en rien, sur le Net il avait du génie. Lui qui n'avait jamais été fichu de retenir deux vers des *Fables* de La Fontaine, pour qui les règles grammaticales étaient de mystérieuses formules alchimiques et la géographie, un sombre marécage, il effleurait les touches de ses doigts potelés avec une grâce aérienne, entre deux bouchées de sandwich.

Le premier décembre, il se sentit fin prêt pour relancer les Chevaliers blancs au sujet d'une patrouille anti-crime sur le Net.

Yan, qui venait d'ouvrir sa boîte à lettres électronique, déchanta en lisant le message qu'elle contenait :

« F BBCb 2 YCb i2 PTI iyo un fort om 7 A Prem. CUL. »

– Non mais c'est quoi cette ratatouille ?

Ça venait de Big Ben qui était sur ICQ, le machin pour dialoguer en direct par courriel. Il activa l'adresse de Big Ben et tapa avec humeur :

« Ton clavier a mangé trop de pizza ou quoi ? Je ne comprends rien à ta ratatouille. Écris en français si tu veux une réponse. Yan. »

Il dévisagea l'écran d'un air méchant. La réponse de Big Ben arriva sans délai ; elle n'avait rien pour améliorer son humeur.

« Traduction du message précédent : *from* Big Ben Chevalier blanc *to* Yan Chevalier blanc itou, pour ton information, il y aura un forum cet après-midi. *See you later!*

P. S. En passant, trouve-toi donc un livre de cuisine pour apprendre à faire de la ratatouille ! »

À deux heures, tous les Chevaliers étaient postés devant leur ordinateur, curieux de voir de quoi il retournait. C'était la première fois depuis la création du labo que la question de la chevalerie sans cause revenait sur le tapis. Du labo où se trouvait l'ordi qu'il utilisait, Ben tapa la première phrase :

« Salut les Chevaliers ! Alors, cette chasse aux bandits, quand est-ce qu'elle commence ? Big Ben. »

« Où as-tu appris à écrire sans faire de faute, toi ? Yan. »

« L'ordi s'en occupe pour moi. Big Ben. »

« Bravo ! Mais je t'avertis : circuler sur Internet c'est autre chose que de faire corriger ses fautes par un stupide logiciel. Yan. »

« Hé ! Vous deux, on pourrait revenir à nos moutons ? José. »

« Moi, ça fait deux mois que je me promène sur le Net et je n'ai pas vu grands malfaiteurs. Louis-Jacques. »

« Normal. Tu penses qu'ils ont du temps à perdre en allant reluquer les filles toutes nues sur des sites débiles ? Marc-André. »

« Arrêtez de vous insulter. PTI Marc-André, je ne vais pas sur les sites débiles dont tu parles et je n'ai rien vu non plus de bien intéressant pour notre cause. José. »

« Quelqu'un a une idée, d'abord ? Et ça veut dire quoi PTI ? Marc-André. »

« Ça veut dire : pour ton information, c'est une abréviation. Big Ben. »

« Hé ! Pizza ! Où tu prends ton vocabulaire ? Yan. »

« Trop compliqué pour toi, la Couette ! Big Ben. »

« Si tu as découvert quelque chose d'intéressant, Ben, oublie ce moron de Yan et dis-nous c'est quoi. José. »

« Cool ! Alors, je suis un moron ? Yan. »

« Ouais, moron ! Non, je n'ai encore rien trouvé, mais j'ai eu une idée. Big Ben. »

« Vas-y, on t'écoute. José. »

Quand Laurent Sébastien gara Teuf-teuf II devant l'école Saint-Martin, des flocons de neige à leur premier vol d'essai s'amusaient à tournoyer dans les airs. Il étendit ses grandes jambes hors de la petite voiture et chercha à rassembler ses idées. Il n'avait encore jamais prononcé de conférence de sa vie et le fait que son supérieur, le détestable capitaine Proot, l'ait encouragé à aller rencontrer des élèves du primaire pour leur parler de piratage sur Internet, alors qu'il avait tellement de boulot, le rendait encore plus stressé que d'habitude. Depuis qu'il était à l'ECCU, l'Escouade des cybercrimes de la Communauté urbaine, il n'avait résolu que des délits mineurs. Il commençait à se demander s'il finirait par boucler quelques dossiers importants avant la fin du prochain siècle !

Il soupira. Au moins reverrait-il les yeux vert mousse de Yolande Séverin. L'autre bon point, c'était qu'il pourrait se réconcilier avec les Chevaliers blancs à qui il n'avait pas eu le temps de parler depuis leur expulsion du poste.

Le laboratoire d'informatique avait fini par attirer un grand nombre d'élèves, surtout des quatrième, cinquième et sixième. Une centaine de jeunes s'étaient rassemblés dans la grande salle pour écouter l'inspecteur... ou sécher un cours. Vu l'absence de sondage, c'était difficile à dire.

Laurent Sébastien s'assit sur le pupitre derrière lequel il aurait dû prendre place et balança ses jambes dans le vide. Puis, il regarda droit devant lui, s'éclaircit la voix et commença d'un air de conspirateur :

« Imaginez que vous êtes capitaine, seul maître à bord après Dieu, d'un navire marchand qui fait du commerce entre le vieux et le nouveau continent. Vous faites voile vers l'Espagne, la cale chargée de précieuses étoffes et de doublons quand vous apercevez un bateau qui se dirige vers vous. Croyant qu'il s'agit d'un navire de Sa Majesté, vous gardez le cap, sans vous méfier, jusqu'à ce que le pavillon noir, le fameux pavillon à tête de mort fasse claquer sa menace à une portée de canon de votre navire.

« Je sais. Vous êtes en train de vous dire, de quoi il parle ce débile, on n'est pas venus ici pour entendre l'histoire de Barberousse.

« D'accord. Alors, imaginez que vous êtes Kevin Costner dans *WaterWorld*, c'est pareil. Internet, c'est un océan, sur lequel il y a de tout. Des voiliers, des navires marchands, des bateaux de croisière, des atolls de ravitaillement. Et où il y a de tout, il y a des criminels.

« Est-ce que vous saviez que d'une simple touche, un *script kiddy* peut vous envoyer un virus qui va non seulement attaquer la page sur laquelle vous vous acharnez depuis des heures (le texte se met à fondre sous vos yeux jusqu'à sa disparition totale), mais qui peut aussi détruire votre disque dur à tout jamais ? Vu sous l'angle du pirate, c'est très amusant. Mais je vous garantis que du point de vue de la victime qui voit tous ses logiciels disparaître, c'est l'horreur. Que quelqu'un, quelque part, ait le pouvoir de contrôler votre ordinateur, ait droit de vie et de mort sur vos fichiers, vos jeux électroniques, puisse espionner votre courrier, s'emparer de votre identité, ça n'a rien d'anodin. Les pirates ne sont pas des gens sympathiques. »

À la surprise de Laurent, plusieurs jeunes connaissaient des *script kiddies* et avaient une opinion, parfois bonne parfois mauvaise, sur le comportement de ces jeunes vandales de l'Internet, méprisés par les *hackers* qui leur fournissaient néanmoins tous les trucs pour faciliter leurs saccages. L'échange mouvementé se prolongea jusqu'à l'heure du dîner. Ne restèrent alors dans la salle que les Chevaliers blancs qui firent cercle autour du policier.

– On est tous sur le Net maintenant. Est-ce que tu serais d'accord pour qu'on te donne un coup de main ? Après tout, on a eu pas mal de succès en travaillant ensemble.

– Impossible, José. Tous les dossiers sont ULTRA confidentiels. Mais j'apprécie votre offre, les gars.

– Je vous l'avais bien dit !

Yan en voulait encore à Laurent. Il n'attendait rien de lui et se trouvait bien avisé d'avoir prévenu les autres avant la conférence. Louis-Jacques tenta de contourner le problème.

– On peut faire de la recherche pour t'aider, pas nécessaire que tu nous mettes dans le secret si c'est pour t'attirer des ennuis.

– Non. Je trouve l'idée vraiment trop risquée.

– C'est aussi dangereux que ça ?

Laurent n'eut pas le courage de dire à Marc-André qu'il s'inquiétait surtout pour sa carrière. Il sauta par terre et leur dit au revoir, pressé de leur échapper.

Chapitre VI

Les amis de Zoraht

SON IGUANE perché sur son épaule, Doigts d'or composa le code lui permettant d'entrer, à partir de son ordinateur, dans une zone à haute sécurité d'où il avait accès à un compte bancaire anonyme aux îles Caïman. Le solde s'élevait à 45 800 $. Une telle fortune le remplissait de fierté, mais il n'avait toujours que deux t-shirts crasseux et un jean pour s'habiller ; l'argent n'avait pas grande importance pour lui sinon comme preuve de son habileté de pirate. Il n'y avait que trois choses au monde qui comptaient réellement pour Doigts d'or : Zoraht, son ordinateur et le Petit Parrain.

L'arnaque mise au point par le Padrino pour blanchir les dossiers des automo-

go

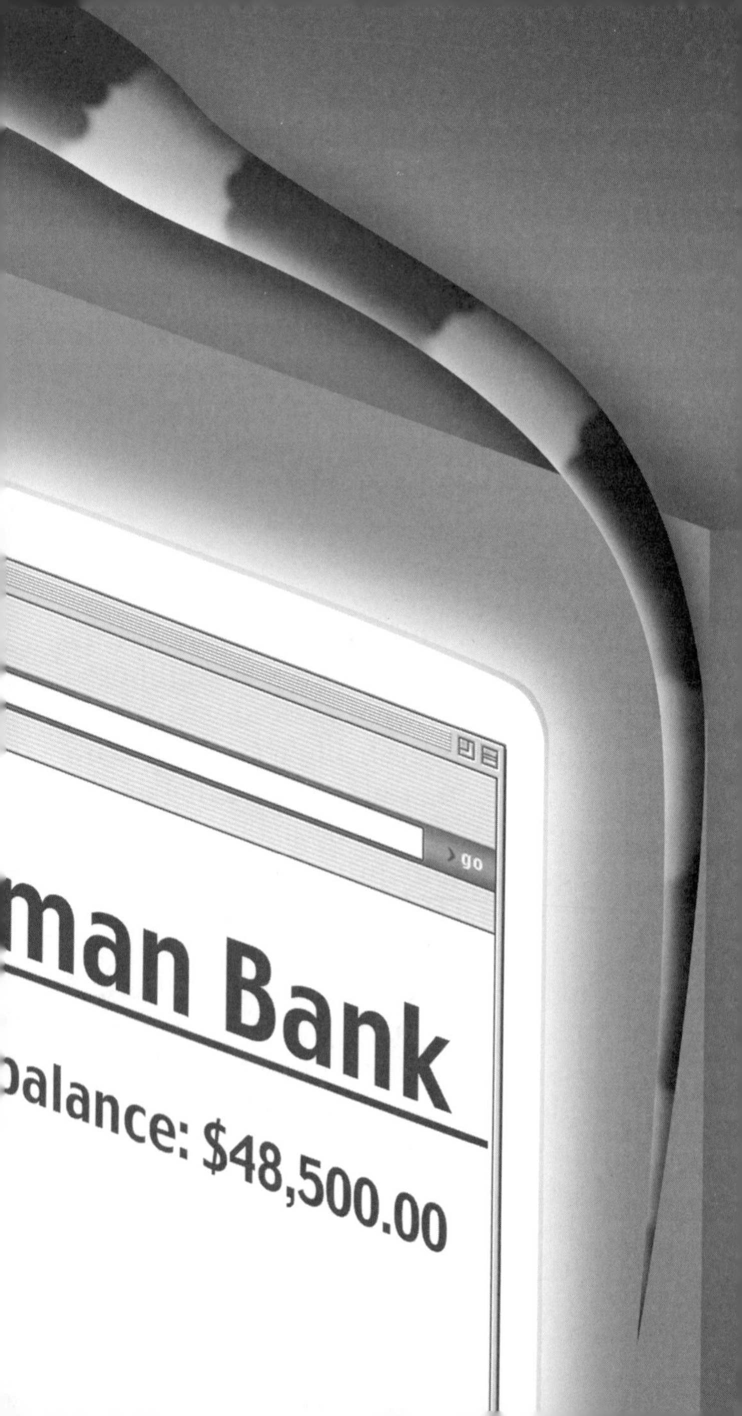

man Bank

alance: $48,500.00

bilistes leur avait rapporté beaucoup d'argent. Tout marchait comme sur des roulettes jusqu'au jour où l'un de leurs « clients », incapable de payer les services du Padrino, avait choisi de le dénoncer. Informé de la menace parce qu'il surveillait la boîte vocale et le courrier électronique de tous leurs « clients », Doigts d'or avait aussitôt brouillé les pistes qui auraient permis aux enquêteurs de remonter rapidement jusqu'au Petit Parrain, toujours installé clandestinement chez les Farewell. Les deux compères s'étaient ensuite tournés vers un autre marché payant : le trafic de travaux d'étudiants dans les cégeps et les universités et le bricolage des notes d'examens, une petite mine d'or, surtout à l'approche de la fin de la session d'automne.

Ils eurent bientôt tant à faire pour satisfaire cette clientèle avide de succès scolaires immérités, qu'il fallut choisir entre embaucher des assistants ou perdre des contrats.

C'est ainsi que le Padrino redevint chef de gang et que la bande des Youfs reprit ses activités criminelles, non pas dans les cours d'école ou dans les portefeuilles bien garnis des touristes, mais sur l'autoroute électronique. Cette fois, les membres de la bande étaient de jeunes pirates informatiques en quête d'argent facile et leur lieu de rendez-vous habituel, un forum de discussion ouvert par Doigts d'or.

Connu sous le nom de *Les amis de Zoraht*, le forum servait officiellement de point de rencontre aux passionnés d'animaux exotiques. Officieusement, un petit groupe d'initiés, des cégépiens et des universitaires branchés, y envoyaient les riches étudiants qui désiraient « améliorer » leurs notes sans trop d'effort. S'ils employaient un certain mot de passe pendant leurs échanges, Doigts d'or savait qu'ils n'avaient pas rejoint le forum pour parler caméléons et lézards, mais pour acheter des travaux ou faire modifier leurs résultats scolaires. Habituellement, les dialogues étaient assez amusants.

« Ma grenouille jappeuse ne jappe plus et elle est introuvable. Quelqu'un a une idée de ce qui se passe ? Varan. »

« Elle doit être tannée de japper pour rien. Elle boude. Achète-lui un chum... Bambou. »

« Ma grenouille est un mâle, tu sauras. Et si je lui achète une blonde, il n'aura plus de raison de japper. Varan. »

« Les voisins vont être contents ! Bambou. »

« Quelqu'un peut me dire si mon iguane va devenir aussi gros que l'appartement si je le laisse en liberté ? Il paraît que les iguanes grandissent tant qu'ils ont de l'espace ? Seba. »

« Il est grand comment ton appart ? Bambou. »

« Deux pièces et demie. Seba. »

« Je te conseille de le mettre tout de suite dans une cage à cochon d'Inde, ça presse... Bambou. »

« Il est déjà plus grand que la baignoire. Seba. »

« C'est idiot ce que dit Bambou. Si c'était vrai, les iguanes qui vivent en liberté deviendraient si gros qu'ils envahiraient la terre. Leur taille maximale est de 1 m 60 et 1 m 20 pour la queue. L'idée, pour savoir sa taille d'adulte, c'est de trouver de quel pays il vient et à quelle famille il appartient. Darsata. »

Doigts d'or, qui suivait l'échange en rigolant, resta saisi quelques secondes. Il avait repéré le mot de passe, inscrit dans le message du dernier interlocuteur, mais il y avait un os. Le mot *darsata*, qui veut dire « visible » en sanskrit, avait été choisi par le Petit Parrain parce qu'il était assez bizarre pour faire partie du vocabulaire des fans d'animaux exotiques, mais qu'il était quasiment impossible que quelqu'un utilise ce mot par pur hasard. Pourtant, cette fois, il avait été employé en guise de signature. Doigts d'or réfléchit au problème, jugea que ça n'en était pas un, que ça devait sûrement être un étudiant qui voulait s'acheter de bonnes notes. Il invita Darsata à poursuivre la conversation en privé.

Une fois qu'ils eurent quitté le groupe, le dialogue reprit entre Doigts d'or et Darsata :

« C'est pour quel genre de services ? D^2. »

« Peux-tu être plus clair ? Darsata. »

« Travaux ou bulletins ? D^2. »

« Les deux, c'est possible ? Darsata. »

« Ça va coûter plus cher. C'est quoi ton budget ? D^2. »

« Donne-moi une idée des prix, je vais voir. Darsata. »

« Deux cents pour changer une note, à partir de quatre cents pour un travail long garanti A^+. D^2. »

« Faut que je voie. On se reparle demain. Darsata. »

« Je t'attends à deux heures. D^2. »

« Dac. Darsata. »

Alexandrie, alias Darsata, était arrivée sur le site par le plus grand des hasards en faisant une recherche pour l'un de ses cours. Elle ignorait que le surnom qu'elle avait choisi servait de mot de passe mais, sentant quelque chose de bizarre dans l'invitation de D[2], elle avait voulu savoir. Or, il semblait bien qu'elle était tombée sur une activité louche et elle n'était pas du genre à laisser tomber une piste intéressante. Ses cours au cégep manquaient de piment et elle n'aimait pas trop Montréal. S'il y avait une enquête à mener sur Internet, elle aurait au moins de quoi s'occuper pendant ses temps libres.

Une fois au cégep, elle interrogea discrètement quelques connaissances, sans résultat. Personne dans son entourage immédiat ne semblait connaître le site *Les amis de Zoraht*. Il est vrai qu'en sciences humaines, ce n'était pas bien difficile d'avoir les notes de passage. Mais peut-être que si elle trouvait des étudiants qui avaient un cours obligatoire dans une matière réputée difficile, elle finirait par tomber sur un petit futé qui avait payé pour obtenir une bonne note. Soudain, elle eut un éclair de génie. Les stats ! Le cours de statistiques. Alexandrie en avait tellement entendu parler en mal par des étudiants obligés de le suivre que si elle fouillait un peu, elle trouverait sûrement un étudiant peu scrupuleux qui connaissait le site.

⁂

Une heure et quart. Alexandrie regarda sa montre avec impatience et revint au grand roux qu'elle avait fini par repérer dans la salle des pas perdus du cégep et qui, lui avait-on dit, avait réussi son cours de stats en dépit de toutes les probabilités.

– Ouais ! Le service est bon, mais pas donné si tu veux mon avis.

– C'est combien ?

– Ça m'a coûté cent dollars pour un C–. Je ne voulais pas une note trop haute, ça aurait pu éveiller les soupçons. C'était cent dollars de plus pour un A.

– Et les travaux ?

– J'sais pas. Je m'organise autrement, s'il fallait que je paye à chaque fois, je ne pourrais plus m'acheter de bouffe. Mais on m'a dit que c'était le grand service.

– C'est-à-dire ?

– Les travaux sont repiqués seulement s'ils ont reçu au moins un B+, ils viennent de différents cégeps pour que les profs ne se doutent de rien et il paraît que maintenant, ils sont modifiés avec un logiciel qui change les mots.

– Un logiciel de synonymes ?

– C'est ça. Il y a encore moins de danger pour que le prof soupçonne la combine.

– Merci ! Tu me sauves la vie !

– Attends ! Il te faut le mot de passe.

– Ah ! oui ! Où avais-je la tête ! C'est quoi ?

– *Darsata*. Tu t'en sers dans le dialogue, comme si c'était le nom d'une amie ou d'une de tes bestioles et quelqu'un va te faire signe.

Alexandrie était soufflée. Elle avait abouti là à cause de son pseudonyme ! Toute une surprise ! Deux heures moins quart : il fallait qu'elle trouve un ordinateur libre de toute urgence.

Chapitre VII

Que la terre te soit légère !

– ET VOILÀ le travail !

Ben recula sa chaise et laissa José découvrir le site qu'il avait créé pour les Chevaliers blancs. Un splendide cheval de Camargue en était l'emblème ; dotée de mouvement, la bête s'avançait vers l'écran en agitant sa crinière puis revenait à son point de départ. Dans la marge, sur une bande de couleur qui rappelait un signet aux pattes pointues, cinq silhouettes de chevaliers portaient l'écu de leur ordre : un bouclier pourpre orné de la croix celtique en l'honneur des Chevaliers de la Table ronde, surmonté de la devise « Que la terre te soit légère ! » prise au hasard dans les pages roses du *Petit Larousse.*

Toute cette composition lui avait demandé des heures de recherche et d'ajustement. C'est à Guillaume qu'il devait le reste du contenu modestement constitué de cinq parchemins et d'un coffre. Chaque parchemin contenait le profil du chevalier à qui il appartenait : par exemple, José, Premier Chevalier, était identifié comme le fondateur de l'ordre ; suivait une énumération de ses qualités et de ses faits d'armes. Quant au coffre, Ben envisageait de proposer à Yan de rédiger leurs aventures et de les déposer dedans pour l'offrir aux visiteurs du site.

Enfin, au cours de ses recherches sur le Net, il avait trouvé la reproduction d'une peinture intitulée « Dame du temps jadis » qui lui rappelait le visage d'Alexandrie. Il l'avait placée en médaillon au-dessus des cinq parchemins.

– C'est fabuleux !

Ben se racla la gorge, débordant de fierté.

– Je suis assez content. Tu trouves ça vraiment *cool* ?

– Plus *cool* que ça, tu meurs !

– C'est pas tout. Quand on a un site, ça prend du monde pour le visiter. J'ai inscrit notre page sur la liste de différents moteurs de recherche. Comme ça, si quelqu'un tape le mot chevalier, enquête, crimes, notre adresse va apparaître dans les références.

– T'es vraiment un crack, Ben !

Le gros garçon n'était pas habitué aux compliments, mais il s'abandonna sans remords au plaisir d'être du côté des élus pour une fois.

– Pour l'adresse électronique, si les gens veulent nous rejoindre, j'ai donné celle du labo. Ça va me permettre de contrôler les visiteurs. On sait jamais. Et en bas de la page, il y a un compteur numérique pour savoir combien de personnes sont passées sur le site.

– Regarde, quelqu'un est venu.

– Non, ça, c'est parce que j'ai ouvert la page, ça compte pour une visite.

– Tu m'épates !

– Ça va. C'est pas si compliqué que ça en a l'air. Et le site est loin d'être complet. J'ai pensé que si Yan acceptait d'écrire nos aventures, on pourrait inventer un jeu pour que les internautes soient obligés de trouver d'abord le château, ensuite la salle et enfin le coffre où est cachée l'histoire. Qu'est-ce que t'en dis ?

– Il faudrait cacher une clef quelque part.

Ils discutèrent de toutes sortes de scénarios jusqu'à ce que José demande une trêve :

– Laisse-moi digérer tout ça. Eh ! regarde ! Là c'est vrai, il y a eu un visiteur.

– T'as raison. On va aller voir s'il nous a laissé un message.

Le courrier leur réservait une surprise de taille.

« Salut les Chevaliers,

Je pense que je tiens quelque chose de sérieux et, si c'est le cas, la chevalerie va avoir du travail. J'ai trouvé votre site sur la toile. Il est GÉNIAL (et la Dame du temps jadis est pas mal non plus…) Si on peut tenir une réunion sur Internet, contactez-moi à huit heures ce soir, j'ai le logiciel ICQ. Tourlou, Alexie. »

Quand Ben et José quittèrent le local, ils étaient au comble de l'excitation. Il faisait nuit, la neige craquait de froid sous leurs bottes, mais ça faisait des lunes que quelque chose d'aussi fabuleux ne leur était pas arrivé.

– Les jeunes, j'espère que vos devoirs sont faits, sinon pas d'ordi !

À vingt minutes du rendez-vous avec Alexandrie, ce n'était pas le temps de commencer à discuter avec Rémy. José fit signe à Ben de le laisser parler.

– Mais p'pa, on a une recherche à faire en sciences de la nature sur Internet et Ben n'a pas d'ordi chez lui.

– Bon d'accord, mais à neuf heures vous fermez tout et vous vous couchez. Vous avez de l'école demain matin.

– Promis p'pa. Tu viens, Ben ?

À huit heures, tout le monde était au poste, sauf Marc-André qui gardait sa petite sœur et n'avait pas pu se rendre chez Louis-Jacques profiter de son ordinateur. Mais comme il était plutôt dépassé par Internet, ce serait plus simple de lui résumer la discussion le lendemain matin.

« Salut les Chevaliers,

J'espère que vous êtes là. En cherchant de la docu pour mon cours sur la protection des espèces menacées, j'ai abouti dans un forum de discussion sur les animaux exotiques. En apparence, parce qu'en réalité, avec un certain mot de passe, on peut obtenir des services du genre trafic de notes et achat de travaux. Ça vient de me coûter cent cinquante dollars pour un travail long (à titre d'expérience bien sûr, j'ai pas besoin de payer pour passer mes cours !). Une chance que Noël s'en vient parce que j'aurais mangé mes bas ce mois-ci. Ça vous intéresse ?

Alexie. »

« Tu parles si ça nous intéresse ! Tu as d'autres détails ? José. »

« Donne-nous l'adresse, on s'en occupe. Yan. »

« Toujours aussi charmant à ce que je vois ! Si j'ai pensé vous en parler, c'est qu'on ne sera pas trop de six pour réfléchir à une stratégie. Je pense qu'il s'agit d'une organisation bien rodée. L'échange (l'argent contre le travail piraté) est cent pour cent anonyme et le produit est de très bonne qualité. Il est aussi bon que ce que j'aurais pu faire moi-même... Peut-être que nous devrions demander conseil à Laurent. Alexie. »

« Ça, c'est hors de question ! Pour qu'il prenne toutes les infos et nous laisse tomber comme de vieilles chaussettes ! Oublie ça. Yan. »

« Laurent est enquêteur sur Internet, mais il ne veut pas qu'on se mêle de ses enquêtes. On devrait le laisser en dehors de ça pour le moment. José. »

« Bien reçu. Je vous envoie une pièce jointe qui contient le travail piraté, l'adresse du forum et le mot de passe. [...]

– Les garçons ? Avez-vous bientôt fini ? Il est neuf heures.

– Encore cinq minutes p'pa, s'il vous plaît.

– Deux minutes, pas une de plus.
– Trois minutes, d'abord.
– Il vous en reste une.
[...] pensez à ce que nous pourrions faire, j'y pense aussi, et on fait le point samedi matin, neuf heures. Alexie. Et pas de coup fourré. »
« Promis, je me charge de surveiller Yan. Louis-Jacques. »
« Ben et moi, il faut qu'on vous laisse. On se parle samedi sans faute, Alexandrie. Merci, t'es géniale. José. »

Tout ce qui était envisageable fut envisagé ce samedi-là. Surveiller ceux qui employaient le mot de passe pour accumuler des preuves de fraude (mais encore eût-il fallu qu'ils fournissent leur véritable adresse), prendre le forum d'assaut pour bloquer l'accès (le meilleur moyen de mettre la puce à l'oreille des fraudeurs sans les attraper), acheter des travaux pirates et les remettre à la police (une solution aussi coûteuse que hasardeuse). Ce fut finalement Ben qui eut l'idée la plus intéressante de la journée. Et s'ils offraient leurs services aux fraudeurs ?

Yan renchérit. Bien sûr ! C'était le principe du cheval de Troie ! Trouver un moyen d'entrer dans le réseau sans éveiller les soupçons, travailler pour l'organisation, percer ses secrets, puis tendre une embuscade !

Il fut convenu que José offrirait ses services de pirate à l'organisation, et Alexandrie et Yan deviendraient des clients réguliers. Marc-André et Louis-Jacques fréquenteraient le site officiel pour parler animaux exotiques et essayeraient de se lier d'amitié avec les visiteurs qui connaissaient le mot de passe. Quant à Ben, il superviserait toutes les activités du groupe et serait responsable de trouver des solutions informatiques aux problèmes que les Chevaliers ne manqueraient pas de rencontrer en cours de route.

Il fallait maintenant qu'ils adoptent une nouvelle identité pour la durée de leur mission. José choisit le nom de *Black Spider*, considérant qu'il serait au cœur de la toile d'araignée qu'ils s'apprêtaient à tisser pour prendre les fraudeurs au piège. Alexandrie trouva l'idée intéressante et prit le surnom de Mygale alors que Yan opta pour *Pink Panther*. Marc-André et Louis-Jacques, qui devaient jouer le rôle d'amis des animaux, choisirent tous les deux des noms de reptile : le redoutable serpent africain mamba pour Louis-Jacques et le caméléon casqué originaire du Gabon pour Marc-André.

L'opération LFB (les faux bollés) commencerait dès qu'ils auraient établi leur plan de campagne.

Chapitre VIII

L'ECCU

LE DIX-HUIT décembre, Edward et Lizbeth Farewell recommençaient à goûter au confort de leur maison, après plusieurs mois de vie à la dure dans le Nord canadien, quand un inspecteur en civil, au milieu de la vingtaine, se présenta à leur porte.

– Madame Farewell ? Je m'excuse de vous déranger, mais j'ai à vous parler ainsi qu'à votre mari si possible. C'est important.

La vue du visiteur n'avait fait qu'intriguer Lizbeth. Ses propos lui firent l'effet d'un nuage noir venu exprès pour lui cacher le soleil.

– J'ai appris votre retour du Yukon par la presse en début de semaine. Durant votre absence, avez-vous laissé les clés de votre maison à l'un de vos enfants ?

– Nous n'avons pas d'enfant.

– Un cousin, alors ? Un neveu ? Un ami de la famille ?

– Non. Il n'y avait personne ici au cours des deux derniers mois.

– Écoutez, nos spécialistes sont formels, votre ordinateur a servi à entrer par effraction dans les archives de la Société d'assurance automobile à une cinquantaine de reprises. Des dossiers ont été modifiés. Ce sont des actes criminels graves.

Edward Farewell tirait sur sa pipe en hochant la tête qu'il avait blanche aux pourtours et chauve sur le dessus avec trois brins de cheveux fous en guise de toupet. Il se dit que c'était embarrassant, mais ça ne pouvait être qu'une erreur. S'il avait prêté sa maison et son ordinateur à quelqu'un, il le saurait, bon sang ! Soudain, l'idée que ce soit son neveu Tommy lui traversa l'esprit. Tommy avait seize ans, il connaissait bien la maison, et les dernières rumeurs familiales laissaient entendre qu'il avait mal tourné.

– Vous savez, inspecteur, en admettant que quelqu'un soit venu ici à notre insu, il y aurait des indices d'effraction, des traces de son passage. Or, tout est exactement pareil comme avant notre départ. Vous voulez voir ?

– J'aurais du mal à comparer !

– C'est vrai. Mais avez-vous envisagé la possibilité que quelqu'un ait pris le contrôle de notre ordinateur à distance ? Ce sont des choses qui arrivent paraît-il.

– Je ne peux malheureusement pas vous donner de détails précis, mais il existe une façon de vérifier si certaines commandes sont faites directement à partir d'un ordinateur ou si cet ordinateur a servi de relais dans une opération conduite à distance. En ce qui concerne cette affaire, les informaticiens nous ont assurés que c'est bel et bien d'ici que les infractions ont été commises.

Laurent examina le bureau, prit quelques notes et quitta les Farewell avec la promesse de leur collaboration et la liste de toutes les relations de la famille en poche. Toutefois, s'il s'agissait de quelqu'un d'étranger au couple, les espoirs de retrouver le pirate étaient infimes.

– As-tu faim, Edward ? Aimerais-tu que je te prépare du poulet et des frites ?

Lizbeth regarda le front sillonné de rides d'Edward. Quand il réfléchissait, il avait l'air d'être absent de son propre corps.

– Comme tu veux, Lizzie.

Dans la grande armoire à provisions, elle remarqua que certaines étagères étaient étrangement clairsemées. Une demi-douzaine de boîtes de biscuits au chocolat manquaient à l'appel. En regardant avec plus d'attention, Lizbeth constata aussi une baisse appréciable des jus et des colas. Dans le congélateur, la réserve de pain congelé était largement entamée. Elle revint vers le salon.

– L'inspecteur avait raison Edward, on a eu un visiteur…

– Ah ! Oui ?

– … amateur de biscuits au chocolat ! Il ne t'en reste plus un seul !

– Dans ce cas, il y a au moins une chose qui me soulage, ce n'est pas Tommy.

– Quoi ?

– Tommy a toujours détesté les biscuits au chocolat.

À une semaine de Noël, l'atmosphère à l'Escouade des cybercrimes de la Communauté urbaine n'était pas à la joie. Les dossiers en cours s'accumulaient, le président de la Société d'assurance automobile s'impatientait.

Les vérifications effectuées parmi les relations de la famille Farewell n'avaient rien donné. Tout ce que les enquêteurs pouvaient dire, c'était qu'un homme ou une femme, mais plus probablement un homme à en croire les statistiques, qui aimait beaucoup les biscuits au chocolat, avait passé plusieurs semaines à frauder le système sans laisser plus de trace qu'un oiseau ayant quitté le nid. Ses activités avaient cessé deux jours avant le retour des Farewell, soit parce que le pirate connaissait déjà la date de leur retour, soit parce qu'il l'avait appris par les journaux.

L'avant-veille de Noël, le recteur de l'Université Laval, monsieur Casavant, un grand bonhomme au crâne rasé et au visage énigmatique de dalaï-lama, s'était déplacé en personne, de peur que quelqu'un surveille sa ligne téléphonique.

– C'est une situation très embarrassante, monsieur Sébastien. Nous ne connaissons pas l'ampleur de la fraude, mais trois directeurs de programme de deux départements m'ont rapporté que des étudiants ayant échoué certains examens ont néanmoins reçu des notes au-dessus de la moyenne pour leurs cours. Les notes ont été modifiées par voie informatique, après que nos secrétaires eurent achevé la préparation des bulletins.

– Soupçonnez-vous quelqu'un de l'université ?

– C'est là que ça pose problème. J'étais déjà à peu près certain que nos employés étaient au-dessus de tout soupçon, mais ce qui a fini de m'en convaincre, c'est que deux universités, celle de Sherbrooke et celle de Montréal, connaissent la même situation ; j'ai parlé aux recteurs !

– Je vais mettre notre équipe sur l'enquête dès aujourd'hui, mais pour être honnête avec vous, monsieur Casavant, le taux de résolution de ce genre de crime ne dépasse pas cinq pour cent. Il va falloir que vous renforciez votre sécurité interne et que vous fassiez des contrôles manuels. Sinon, il risque d'y avoir pas mal de diplômés illégitimes dans les bureaux cette année…

– Ne pourrions-nous pas former un comité interuniversitaire qui collaborerait étroitement avec l'ECCU ?

– Bien sûr, mais tout ça prend du temps. Pour un seul enquêteur, il y a des milliers de pirates informatiques qui sillonnent l'autoroute électronique.

– Je suis certain que nous avons affaire à une seule bande qui agit dans les universités de la province. Et je prie pour qu'il ne s'agisse que des universités. S'il fallait que ces bandits aient infiltré les écoles secondaires et les cégeps, vous imaginez quelle sorte de diplômés…

Un des agents du service fit irruption dans le bureau, coupant la parole à monsieur Casavant.

– Excusez-moi, Monsieur le Recteur. Sébastien, un appel urgent sur la trois.

– Ça ne peut pas attendre ?

– Semblerait que non !

Laurent décrocha ; à mesure que le temps passait, son visage changeait de couleur. Il reposa le combiné avec une lenteur funèbre.

– C'était mon supérieur, le capitaine Proot…

Le recteur ne put retenir un sourire :

– C'est un surnom ?

– Non, pas du tout.

– Et ?

– Vous avez vu juste, Monsieur le Recteur, des plaintes commencent à arriver de différents cégeps. On est dans la mélasse jusqu'au cou.

Chapitre IX

L'araignée noire

Madame Séverin transmit ses vœux de joyeux Noël aux élèves et comme par enchantement, la salle ébranlée par un formidable tintamarre se vida de sa substance en quelques minutes. José vola plus qu'il ne courut jusqu'à la maison pour ne pas perdre une seconde de ses précieuses vacances. L'opération LFB pouvait commencer.

La dernière semaine n'avait servi que d'entrée en matière. Un certain D^2 lui avait posé des tas de questions sur ses connaissances en informatique et n'eut été de Big Ben qui lui fournissait les réponses, il n'aurait jamais passé le test. D'ailleurs, D^2 l'avait mis à l'épreuve en le chargeant de petites missions d'espionnage dans le système informatique de quelques cégeps. Alexandrie l'avait aidé en douce ; le pirate semblait satisfait des résultats. José devait recevoir un nouvel ordre de mission le lendemain en fin d'après-midi. Du sérieux cette fois. Les Chevaliers auraient juste le temps de s'installer.

José avait convaincu sa mère d'accepter que sa chambre serve de base aux opérations pour la durée des vacances. Mado, qui ignorait du reste la teneur exacte desdites opérations, avait bien un peu protesté, mais elle y trouvait son compte : l'ordinateur de Marco – lequel était parti en vacances de ski avec ses amis – quitterait temporairement la salle à manger pour la chambre de José et elle aurait enfin un peu de place pour ses préparatifs des Fêtes. Avec l'ordinateur portatif de Louis-Jacques, les garçons auraient trois appareils à leur disposition.

Entouré des Chevaliers qui ne quittaient pas l'écran des yeux, José pénétra dans le forum *Les amis de Zoraht* où, même en cette presque veille de Noël, les maniaques des animaux débattaient avec ferveur litières et vitamines. Rapidement, il fut invité par D^2 à une discussion privée.

« Beau travail, *Black Spider* ! Aurai-je le plaisir de savoir si l'araignée que je vais engager est mâle ou femelle ? P°. »

Les Chevaliers sourcillèrent. P° ? C'était nouveau, ça ! Où était donc passé D^2 ? José s'empressa de répondre :

« Sans importance P° ; par contre, je garantis le succès de mes missions. *Black Spider.* »

« Prudente l'araignée ! Je vais donc m'adresser à toi au féminin. J'ai besoin d'une réserve de travaux longs notés A ou B en psychologie 101 et philo 101, pour la prochaine session. Disons une demi-douzaine pour commencer. P°. »

« Des sujets en particulier ? *Black Spider.* »

« Non, c'est toujours la même chose dans les cours d'initiation. P°. »

« En provenance de différents cégeps ? *Black Spider.* »

« Le plus possible. P°. »

« J'ai mes entrées dans cinq cégeps, ça te va ? *Black Spider.* »

« Parfait ! P°. »

« Tu les auras dans quatre jours. Même heure, même poste ? *Black Spider.* »

« Même heure, même poste. P°. »

José quitta le forum privé sans ajouter de commentaire. Il trouvait son nouvel interlocuteur encore plus direct et plus froid que le précédent. En plus, il craignait de s'être avancé un peu vite : trouver six travaux en quatre jours dans cinq cégeps différents n'était pas une mince affaire. Alexandrie qui devait se charger de cette partie de l'opération allait sûrement trouver la commande exagérée. Mais, peut-être que s'ils s'y mettaient tous, ce serait faisable.

« Comment tu le trouves ? D². »

« Ça devrait faire un bon Youf, mais je verrai mercredi. P°. »

« Gars ou fille ? D². »

« Sans doute une fille. Si c'était un gars, il se serait fait un plaisir de me le faire savoir. P°. »

« Bon, eh bien ! joyeux Noël ! D². »

« À toi aussi, Doigts d'or. P°. »

Le Padrino détourna les yeux de l'écran. Il était maintenant installé chez un certain Péloquin, un homme d'affaires de Québec qui vivait avec sa sœur dans une somptueuse maison de Charlesbourg. Les photos de la maison avaient paru l'automne précédent dans une revue art déco et les pages économiques du *Soleil* avaient mentionné que Carl Péloquin et sa sœur Élodie passeraient les vacances de Noël sur le yatch d'un prince arabe.

Malgré leur absence, ladite Élodie avait décoré la maison avec une telle exubérance qu'on se serait cru dans la boutique du père Noël. Placées au pied d'un grand sapin blanc, des tonnes de paquets brillaient sous les rubans et les choux.

Le Petit Parrain ferma les rideaux, alluma les lumières du sapin et laissa son esprit vagabonder d'une idée à l'autre. Mais, toujours, la mystérieuse araignée lui revenait en tête. Si elle était capable de lui livrer les travaux promis dans trois jours, il devrait à tout prix s'en faire une alliée. La tâche était devenue trop lourde pour Doigts d'or et la petite poignée de collaborateurs qu'il avait engagés. Et il ne lui déplaisait pas de prendre une fille pour associée. Peut-être était-elle jolie ? Peut-être partageaient-ils les mêmes rêves ? Mercredi, il ouvrirait son jeu un peu plus. Il lui communiquerait son surnom en signant Padrino au lieu de l'anonyme P°. Les filles étaient sensibles à ce genre d'attention. Il prit un chocolat dans la bonbonnière de Carl et d'Élodie, le laissa fondre doucement. C'était du chocolat suisse de première qualité.

La journée du 26 décembre, les Chevaliers attendaient, chacun chez soi, qu'Alexandrie se manifeste. Il était entendu qu'ils ne rejoindraient José qu'une fois qu'elle lui aurait envoyé les travaux via Internet.

Assis devant son ordinateur, José n'avait d'yeux que pour l'horloge électronique qui égrenait les secondes, les minutes et les heures à la vitesse d'un escargot en balade. Neuf heures, dix heures, onze heures passèrent sans nouvelles.

À midi, il se força à rejoindre ses parents à table pour ne pas rendre les choses plus difficiles qu'elles n'étaient, mangea en vitesse, resta encore un peu, puis demanda la permission de retourner à son ordinateur pour s'amuser avec les logiciels qu'il avait reçus en cadeau. L'excuse était parfaite.

Une heure, deux heures, trois heures passèrent. José était si tendu qu'il allait vérifier son courrier toutes les cinq minutes, le cœur noué par l'angoisse. Il en revenait un peu plus abattu chaque fois. À quatre heures, il reçut un courrier de Yan qui venait aux nouvelles et un autre de Louis-Jacques à quatre heures quinze.

À quatre heures vingt-cinq, le postier virtuel lui annonça enfin un courriel d'Alexandrie. Ce n'était pas possible qu'elle ait réussi. Elle lui annonçait sûrement que l'affaire était à l'eau. Après avoir un peu hésité, il se décida à l'ouvrir, prêt au pire.

« Ça y est ! Je les ai ! J'en ai six, quatre psycho, deux philo. Alexie. »

« Géant ! Alexandrie t'es une pro ! José. »

« Ne me refais plus jamais un coup pareil ! Trouver six travaux en quatre jours dans cinq cégeps différents, c'est un miracle et les miracles se produisent rarement deux fois. Alexie. »

José se dépêcha de faire retentir le tam-tam pour avertir les autres de rappliquer au plus vite. Il devait parler à P° à cinq heures.

« Comment on fait pour le transfert et le paiement ? *Black Spider.* »

« Alors comme ça, tu as réussi ! P°. »

« Évidemment. Et dans les temps. *Black Spider.* »

« Tu m'impressionnes. Envoie les textes à l'adresse ci-dessous avec ton NIP, je paye toujours en faisant un virement dans un guichet automatique. P°. »

José se tourna vers les Chevaliers, au bord de la panique :

– Qu'est-ce que je fais ? Quelqu'un a un NIP ici ?

– C'est quoi un NIP ?

– Laisse faire, Ben. On t'expliquera plus tard.

Le regard de José s'arrêta sur Louis-Jacques, le plus riche du groupe.

– Oui, j'en ai un. Et ça tombe bien, j'ai vidé mon compte pour Noël. Tiens, voilà mon livret et ma carte, je te donnerai mon NIP tantôt. J'ai juste à m'ouvrir un autre compte !

Il ajouta à voix basse :

– Pour ton info, Ben, un NIP c'est le numéro d'identification personnelle de son compte bancaire, c'est pour le guichet automatique.

José revint à son interlocuteur.

« Pas de problème ! As-tu une autre commande ? *Black Spider.* »

Le Petit Parrain, habitué à donner des ordres, était fasciné par la désinvolture de l'araignée noire.

« Pas pour l'instant, mais quelque chose me dit qu'on pourrait faire d'autres affaires ensemble. P°. »

« Quand tu veux. Salut. *Black Spider.* »

« Minute ! L'adresse que je te donne sert à mes collaborateurs (et à mes collaboratrices...) et elle est protégée. Quand tu enverras les travaux et ton NIP, n'oublie pas de me donner aussi une adresse où je peux te joindre en toute sécurité. Affaire conclue ? Padrino. »

L'écran aurait éclaté, une bombe aurait explosé dans la chambre que la stupeur des Chevaliers n'aurait pas été plus grande. Plusieurs secondes s'écoulèrent avant que Yan, qui s'était ressaisi plus vite que les autres, pousse José avec brusquerie et tape la réponse à sa place.

« Affaire conclue, Padrino. *Black Spider.* »

José s'était laissé tomber sur le lit, complètement ahuri.

– Non mais vous avez vu ? Je n'ai pas la berlue ? C'est le Petit Parrain !

– Tu parles ! Le Padrino, il faut que ce soit lui, ça ne se peut pas autrement.

– Pas si vite, Big Ben, ce n'est quand même pas une signature. Y a pas juste un chien qui s'appelle Boule.

– Arrête ton cirque, Yan. Connais-tu un seul chien qui s'appelle Boule ? Pas moi !

Marc-André, toujours calme et mystérieux comme un marais, parlait si peu que ses interventions faisaient toujours de l'effet.

– Ce n'est pas ça qui compte pour le moment. Il faut envoyer les textes, le NIP de Louis-Jacques et trouver une adresse électronique anonyme. Il sera toujours temps de savoir si le pirate est le Petit Parrain et vice versa plus tard. Ah oui ! Et j'imagine que ce serait bien d'avertir Alexandrie de ce qui se passe. On lui doit bien ça.

– En tout cas, il a l'air d'avoir fichûment confiance en toi, le Padrino !

– C'est pas en moi qu'il a confiance Big Ben, c'est en *Black Spider*, nuance.

Marc-André intervint à nouveau :

– Avez-vous remarqué qu'il a l'air curieux de savoir si *Black Spider* est une fille ou un gars ? Ça fait deux fois qu'il en parle.

– Ah ! oui ?

– La première fois, il a posé la question directement, mais aujourd'hui il a parlé de ses collaborateurs en ajoutant « et collaboratrices… ». On pourrait lui faire accroire que l'araignée est une fille, ça le mettrait encore plus en confiance.

Chapitre X

Mauvaise passe

APRÈS LE BRANLE-BAS de combat du 26 décembre, les échanges entre le Padrino et *Black Spider* cessèrent brusquement. Le premier avait pris livraison des travaux piratés, le second, c'est-à-dire les Chevaliers blancs, s'étaient temporairement enrichis de sept cents dollars. Mais malgré l'adresse fournie au Padrino, malgré l'attente, aucune nouvelle commande n'était arrivée.

Envoyés en éclaireurs sur le forum *Les amis de Zoraht*, Louis-Jacques, alias Mamba, et Marc-André, alias Le Caméléon casqué, n'avaient vu personne employer le fameux mot de passe, ce qui était logique vu le congé des fêtes. Alexandrie-Mygale et Yan-*Pink Panther* firent aussi de brèves incursions sur le site, sans rien voir d'anormal. Que des collectionneurs de lézards et de serpents qui discutaient de lézards et de serpents !

Les Chevaliers blancs étaient de plus en plus inquiets. Et si le Padrino avait flairé le piège ? Il pouvait très bien se retourner contre eux et les dénoncer anonymement à la police : Alexandrie avait fourni des travaux piratés, une grosse somme avait été déposée dans le compte de Louis-Jacques, ce serait difficile de prouver leur bonne foi.

Enfin au milieu du mois de janvier, alors qu'il ne l'espérait plus, un message arriva chez José.

« Les affaires reprennent. Rendez-vous à deux heures au lieu habituel. P°. »

Comme c'était samedi, José sauta sur l'occasion pour inviter les Chevaliers à la maison. Mado et Rémy seraient en ville, Marco faisait de la musique avec son groupe.

« Ici *Black Spider.* Je suis prête. »

« Tiens, tiens, l'araignée, comme ça, tu es prête ? Je me disais aussi que ma meilleure recrue était une fille. P°. »

« Ça te pose un problème ? *Black Spider.* »

« Du tout. Doigts d'or m'a dit que tu t'y connaissais pour entrer dans les systèmes informatiques ? P°. »

José regarda autour de lui, mais aucun des Chevaliers n'avait réagi à la question. Il poursuivit donc :

« C'est quoi la commande ? *Black Spider.* »

« En pj (pièce jointe) tu vas trouver une liste d'étudiants qui ont besoin d'une petite révision de notes, avec le nom de leur cégep. Attention, tu dois respecter la date et l'heure indiquées. Envoie-moi seulement une confirmation quand ce sera fait. P°. »

« D'ac. *Black Spider.* »

Aussitôt que le dialogue fut terminé, Yan s'écria :

– T'es fou ou quoi ?

– Qu'est-ce que tu voulais que je fasse ?

– Que tu dises que tu préférais te spécialiser dans les travaux. Refiler des travaux qu'on a obtenus sans contrainte (enfin je suppose), c'est une chose, violer le système informatique des écoles, c'est une autre paire de manches. Si ça se sait, ça va être la prison pour vingt ans !

Yan avait coutume de dramatiser, mais cette fois il était vraiment bouleversé. Les autres aussi d'ailleurs. Trop heureux d'avoir déjoué le Padrino une première fois, ils ne s'étaient pas arrêtés à prévoir la suite des choses. Louis-Jacques remit le nom de Laurent sur le tapis, au risque de voir Yan se mettre en colère ; l'affaire était trop grave.

– Si on avertit Laurent tout de suite, il n'aura pas le choix de collaborer avec nous. Continuer sans lui, c'est de la folie.

– Les nerfs ! On doit d'abord parler à Alexandrie.

Alexandrie ne répondait pas, mais il y avait un message d'elle dans le courrier. Un message alarmant.

« Le temps se gâte. Un prof de philo a reçu un travail piraté cette semaine. Il s'en est aperçu et l'étudiant qui l'avait acheté (c'est un de ceux qu'on a refilés au Padrino) a été convoqué chez le directeur. Ce n'est qu'une question de jours pour qu'on remonte jusqu'à moi. Je compte sur vous pour appeler Laurent et me donner des nouvelles le plus vite possible sur ce qu'on doit faire. Alexandrie »

Quatre paires d'yeux affolés se tournèrent vers Yan.

– Ça va ! De toute façon, on n'a plus le choix. Qui va lui parler ?

À l'étonnement général, Big Ben se porta volontaire.

– C'est moi qui me débrouille le mieux sur Internet. Je vais m'arranger pour que Laurent m'écoute. Je l'appelle et je vous en donne des nouvelles.

Au souper, José essaya de faire comme si tout allait bien, mais c'était au-dessus de ses forces. Il mangeait à peine et il avait une tête de déterré.

– Ça ne va pas, José ?

– Oui, oui, p'pa, je suis juste un peu fatigué.

– Internet, sans doute ?

– C'est ça, Internet me fatigue.

– Ça ne me surprend pas. Te rappelles-tu ce qu'on avait convenu toi et moi ?

– À quel sujet ?

– Au sujet d'Internet et de dis-cer-nement ?

– Vaguement.

– Je ne sais pas où tu es allé, mon garçon, mais de toute évidence, ce n'est pas bon pour ta santé. Quels genres de sites fréquentes-tu ?

– J'sais pas moi, des jeux, des forums, des bibliothèques.

– J'imagine qu'il t'arrive d'aller dans des endroits interdits aux moins de dix-huit ans ?

– Voyons, p'pa !

Le verdict tomba comme un couperet au milieu de la table.

– J'aimerais beaucoup te faire confiance José, mais je préfère ne pas courir le risque. Jusqu'à ce que j'aie éclairci certains points avec notre fournisseur de services, pas d'ordinateur ni d'Internet pour toi.

Dans l'état où étaient les choses, ça pouvait difficilement aller plus mal. *Black Spider* sans son ordinateur ! José catapulta une cuillerée de petits pois en direction de Marco qui riait sous cape et disparut dans sa chambre.

– C'est elle. Je lui ai prêté une disquette de mon travail de philo pendant le temps des Fêtes. Je ne savais pas que c'était pour le vendre à un autre étudiant ! Avoir su...

Alexandrie était écarlate. On l'avait envoyée chercher par le directeur adjoint pendant un de ses cours pour la confronter à sa victime. Elle n'avait préparé aucune défense, convaincue en partant pour le cégep ce matin-là qu'il faudrait encore un certain temps au directeur pour remonter jusqu'à elle. À ce moment-là, avait-elle cru, les Chevaliers blancs auraient parlé à Laurent Sébastien et elle pourrait dire la vérité sans crainte.

– Est-ce exact, mademoiselle ?

Alexandrie ne pouvait se permettre de nier quelque chose qu'elle avait fait ni avouer un crime qui n'en était pas un. Elle choisit de se taire.

– Merci Sonia, vous pouvez partir.

Il alla fermer la porte de son bureau, revint avec une lenteur exaspérante vers Alexandrie et lui dit d'une voix dépourvue de toute intonation :

– L'avez-vous fait pour de l'argent ?

– [...]

– Par défi ?

– [...]

– Si vous ne voulez rien dire, ça vous regarde. Vous ne serez sans doute pas surprise d'apprendre que vous êtes suspendue. Mais vous risquez d'être dans de très mauvais draps si l'enquête démontre que ce n'était pas votre première fraude.

Alexandrie était sur le point de quitter le bureau quand le directeur ajouta, sinistre :

– Comptez sur moi, je transmettrai votre absence de collaboration aux policiers chargés de l'enquête.

Alexandrie sortit du cégep, la tête en feu. Elle n'avait jamais transgressé les lois, du moins pas dans le but d'en tirer profit et, après la confrontation qu'elle venait de vivre, elle avait l'impression que le mot *tricheuse* était écrit sur son front. Au lieu de rentrer à l'appartement, elle se rendit à la gare d'autobus. Il fallait qu'elle retourne à Québec. Il fallait qu'elle soit là-bas pour tirer la situation au clair.

Big Ben avait pris rendez-vous avec l'inspecteur en donnant son véritable nom, Benoît Déry, à la téléphoniste. Il ne voulait pas risquer de se voir interdire le bureau de Laurent en arrivant comme un cheveu sur la soupe avec une histoire abracadabrante. Il tenait à être pris au sérieux et avait même revêtu sa tenue des grands jours : des pantalons-cargo marine et une chemise en lin qu'il détestait, mais qui lui ajoutaient quelques années de maturité.

Néanmoins, quand il fut introduit dans le bureau de Laurent, l'inspecteur ne parut pas très impressionné.

– Ah ! C'est toi, Big Ben ! Si tu viens me demander de vous trouver du travail dans la police, c'est toujours non.

Laurent était pâle et sa voix aussi plate que de l'eau.

– Non, c'est pas ça.
– Je m'en doute. Ça n'a pas l'air d'aller ?
– Vous non plus.
– Beaucoup de travail, c'est tout.
– On a retrouvé le Petit Parrain.
– Vraiment ?
– Sur Internet.
Laurent leva un sourcil intrigué :
– Qu'est-ce qu'il a inventé cette fois ?
– Trafic de travaux et de bulletins.
– QUOI ! ?
– « Imaginez que vous êtes capitaine, seul maître à bord après Dieu... »
– Arrête de plaisanter, Ben.
– Je ne plaisante pas.

Laurent sortit du poste vers sept heures, juste à temps pour le début de ce qui allait devenir la plus grosse tempête de l'hiver à Québec. Le vent avait poussé la neige contre les pneus de Teuf-teuf II, l'emprisonnant au bord du trottoir. La tentation était forte de l'abandonner à son sort et de rentrer directement chez lui pour *cocooner* devant une émission de télévision, mais il avait promis à Ben de parler aux parents de José et il avait besoin de sa voiture pour se rendre là-bas.

En fouillant dans ses poches, il ne trouva qu'un vieux cinq dollars. Ce n'était pas suffisant pour payer un taxi, sans parler d'un remorquage. Il sortit la pelle et peina sous les rafales, le ventre vide, jusqu'à ce qu'il parvienne à dégager la voiture. Huit heures. Avec un peu de chance il serait là-bas dans une trentaine de minutes.

– Qui peut bien venir sonner chez les gens à une heure pareille ?

– Onze heures moins quart. Tu crois qu'on devrait ouvrir, Rémy ?

– Je vais voir.

Devant la porte, un homme encapuchonné, les sourcils blancs de neige, les lèvres bleuies par le froid, regardait par la vitre d'un œil inquiet. Rémy jugea qu'il pouvait ouvrir la porte.

– Oui ?

– Monsieur Dion ? Je suis Laurent Sébastien, un ami de votre fils. Puis-je entrer ?

– Inspecteur Sébastien ? Qu'est-ce que vous faites là ?

– Ma voiture est tombée en panne à vingt minutes d'ici.

– Allez, venez. Je vais vous servir un grog. Tu parles d'un hasard !

Laurent était transi. Il refusa le grog pour ne pas tomber endormi dans l'instant.

– Un café et un bout de pain suffiraient, dit-il à Rémy, dans l'espoir que celui-ci comprenne qu'il mourait de faim.

– Venez dans la cuisine. Mado va faire chauffer de la soupe et vous préparer des sandwiches pendant que je ferai un lit de fortune dans le salon. Il est hors de question que vous repartiez d'ici ce soir.

Et il répéta :

– Tu parles d'un hasard !

– En fait, ce n'est pas tout à fait ça. Je venais vous voir, mais en principe j'aurais dû être ici au début de la soirée. Fichue tempête !

– Ça concerne José ? Il a fait quelque chose ?

Tout de suite Rémy s'imagina le pire. Il avait bien fait de lui couper Internet, il y avait sûrement un rapport.

Chapitre XI

La toile

« MISSION ACCOMPLIE. *Black Spider.* »

« C'est parfait ! Mais tu étais juste dans les délais. Des problèmes ? P°. »

« Non, aucun. *Black Spider.* »

« Toujours aussi bavarde ! P°. »

« J'ai beaucoup de boulot. *Black Spider.* »

« Travailles-tu pour quelqu'un d'autre ? P°. »

« Ça te pose un problème ? *Black Spider.* »

« Je pourrais te donner du travail à temps plein si tu voulais. P°. »

« Ça dépend. *Black Spider.* »

Laurent Sébastien suivait l'échange de son propre écran d'ordinateur avec, dut-il reconnaître, une pointe d'envie pour l'assurance dont José faisait preuve.

« J'ai d'autres boulots plus payants. *Black Spider.* »

« Tu as besoin d'argent pour t'acheter des robes et du maquillage ? P°. »

« Je veux être payée à ma juste valeur. *Black Spider.* »

« Donne-moi tout ton temps et tu le seras. P°. »

José choisit d'interrompre le dialogue. Le Padrino mijoterait dans son jus et lui reviendrait avec une proposition alléchante, peut-être même avec le nœud coulant avec lequel il se pendrait.

Laurent avait obtenu des parents de José qu'il passe quelques heures au poste chaque jour pour aider les enquêteurs et il n'avait fallu que vingt-quatre heures aux Chevaliers pour investir le local. Laurent leur avait permis de rester en autant qu'ils se fassent discrets.

La journée tirait à sa fin. Assis autour d'une table garnie de verres de lait et de beignes écrasés, les garçons discutaient le coup quand Laurent fut appelé à l'entrée du poste. Quelques minutes plus tard, il était de retour, suivi d'une Alexandrie à l'air de bouledogue.

– Franchement ! Une chance que vous m'avez avertie !

José tenta une protestation :

– On a essayé, on n'était plus capables de te joindre. Où est-ce que t'étais passée ?

– J'ai été suspendue si vous voulez tout savoir. Ils font une enquête sur moi.

– Calme-toi, Alexandrie. Ça n'a pas été tellement plus drôle ici.

– Ah ! On vous a accusés de fraude, vous autres aussi ?

– Ça va, les jeunes ! Écoute Alexandrie, je vais appeler ton directeur pour lui expliquer la situation. L'agent Denis et moi sommes à temps plein sur le dossier ; on a deux informaticiens pour nous aider. Tu peux rester avec les autres, mais que ce soit bien clair : c'est nous qui décidons. Et vous ne sortez pas sans autorisation de la salle qui vous est réservée.

La conversation reprit, presque joyeuse. Les Chevaliers se sentaient plus sûrs d'eux avec une escouade en renfort. Denis et Sébastien étaient prêts à bien des compromis depuis qu'ils tenaient une piste sérieuse.

– Le Petit Parrain a l'air de te trouver à son goût, José. Si on planifiait une rencontre au restaurant ?

– Arrête, imbécile ! Je suis sûr qu'il pense que je suis une super belle fille avec un super cerveau. Je lui concède le super cerveau, mais même si je suis beau, j'ai pas l'air d'une fille.

Yan se tourna vers Alexandrie :

– Toi, ça te dirait de servir d'appât ? T'es peut-être son genre !

– Sûrement plus que toi, mais il me connaît. Et puis, c'est quoi l'idée ? On ne veut pas le rencontrer, on veut le faire enfermer.

Ce qui donna une idée à Louis-Jacques :

– Un rendez-vous manqué, ce serait bien. L'araignée propose une rencontre, le Petit Parrain accepte. Il se rend au resto, mais là, il y a un message d'excuse, l'araignée a eu un contretemps. Les agents le prennent en filature, découvrent où il se cache, cernent la maison et l'arrêtent.

– Pow ! pow ! t'es mort. T'as oublié de le tuer.

– Mais non, Yan. On ne veut pas le tuer, on veut qu'il souffre, longtemps, enfermé dans un sombre cachot.

– Ça vous embêterait beaucoup d'être un peu sérieux. Le Petit Parrain va me contacter bientôt, j'en suis sûr, je le sens. On a intérêt à être prêts.

Marc-André émergea de son calme marais.

– Si j'ai bien compris, il veut t'offrir des contrats encore plus payants pour être certain de t'avoir pour lui tout seul. Tu devrais lui demander des détails sur la sorte de travail qu'il veut te confier et fixer tes conditions : mettons cinq cents dollars par mission, pas moins de cinq missions par mois et tu lui promets l'exclusivité. Tu en fais quelques-unes, il est content, tu te rapproches de lui pour finir par lui suggérer une rencontre à l'endroit où il habite et alors là, coup de filet !

– Eh, Marc-André, t'as envie qu'on y soit encore à Pâques ?

– Ben quoi ! Il faut des preuves qu'il a bien opéré à partir de quelque part.

Laurent les observait, heureux qu'ils soient là, même si ça s'était fait plus ou moins contre son gré.

– On va dire que c'est assez pour une première journée de collaboration, les cerveaux. Tout le monde dehors. On ferme le Donuts. L'agent Denis va vous déposer chez vous. Je vous attends après l'école demain.

Alexandrie prit un beigne qu'elle glissa à son poignet.

– Qu'est-ce que tu fais là ?

– Du recyclage. Tes beignes sont séniles, Laurent, j'espère qu'on en aura des frais, demain. *Ciao* !

Le Petit Parrain referma le journal, songeur. Une des manchettes annonçait la mise sur pied d'un comité de cybersurveillance dans les cégeps et les universités pour contrer une vague de piratage qui touchait plusieurs institutions. Tiens donc. Il repoussa son assiette vide, régla l'addition et sortit du restaurant dans le petit matin neigeux. Quelques pelleteurs courageux nettoyaient leur toit qui avait triplé de volume pendant la dernière tempête. On aurait dit de gros gâteaux à la crème.

Doigts d'or était en transe. Le Padrino chez lui, c'était tout un honneur ! Il avait tiré les draps tant bien que mal pour cacher le matelas, nettoyé la litière de Zoraht et mis le t-shirt neuf acheté frais du jour, comme une pâtisserie. Le Padrino n'avait pas changé. Il était toujours aussi mystérieux et discret. Il ne passa aucun commentaire sur l'appart, caressa nonchalamment Zoraht et s'assit avec grâce sur la seule chaise disponible.

– Je crois que l'araignée est mûre pour se joindre à nous. Mais il faut lui offrir une meilleure part du gâteau, ce qui veut dire des missions plus payantes. Le secteur des cégeps et des universités n'offre pas de rentrées d'argent suffisantes pour tout le monde. J'ai pensé à quelque chose. Tu continues à exploiter ce marché avec les autres pendant que je mets un nouveau projet sur les rails.

– Besoin d'aide ?

– Non. Pas pour l'instant. D'ailleurs, il faut que je me trouve un nouveau point de chute. Je communiquerai avec toi quand ce sera fait. Belle bête, ajouta-t-il en souriant.

– Ouais, dans son genre, Zoraht est une vraie beauté.

La nouvelle demeure du Padrino, la septième en cinq mois, le ramenait au cœur du quartier de son enfance, le Quartier latin. Il s'agissait d'un petit hôtel particulier qui servait de pied à terre à un importateur brésilien, lequel évitait le Québec pendant ses mois les plus rigoureux. Ça n'avait ni le côté chaleureux d'une maison ni celui, impersonnel, d'une chambre d'hôtel, l'équipement informatique était minimal, mais ça pouvait aller.

Heureux d'avoir trouvé ce qu'il lui fallait, le Padrino eut envie de partager sa bonne humeur. Peut-être que l'araignée était devant son écran ? Il installa le logiciel ICQ et tapa fébrilement :

« Ici P°. Déjà au boulot, l'araignée ? »

Il ne pouvait évidemment pas se douter qu'elle était à l'école en train de faire des exercices de maths. Laurent lut le message et fit signe à Denis de s'installer près de lui. S'il réussissait à discuter avec le Padrino assez longtemps, peut-être seraient-ils capables de repérer l'endroit d'où il opérait.

« Tu as du nouveau ? *Black.* »

« Tu raccourcis ton nom maintenant ? P°. »

« On commence à être intimes tous les deux. Je me demande à quoi tu ressembles. *Black.* »

« Je suis assez beau pour une araignée mâle. Parle-moi un peu de toi. P°. »

« Demande toujours. *Black.* »

« Quel âge ? P°. »

« Seize. *Black.* »

« Quelle ville ? P°. »

« Québec. *Black.* »

« Tu aimes le chocolat ? P°. »

« Beaucoup. *Black.* »

Laurent se rappela soudain la disparition des biscuits au chocolat chez les Farewell, les bonbonnières vides chez les Péloquin, la deuxième résidence qu'ils avaient identifiée. Ça commençait à être intéressant.

« Tu fais ce métier depuis longtemps ? P°. »

« Cinq, six ans. *Black.* »

« Et tu aimes ? P°. »

« On vit bien. *Black.* »

« Quelle couleur tes yeux ? P°. »

« Noisette. *Black.* »

Le Petit Parrain ne posa aucune autre question. Il trouvait qu'il y avait quelque chose de louche dans la confiance subite de l'araignée, mais surtout dans l'utilisation du mot noisette. Toutes les filles qu'il connaissait auraient répondu brun, pas noisette. Laurent se rendit compte que quelque chose n'allait pas.

– Merde ! J'aurais dû être plus prudent. *Black Spider* n'est pas censée être aussi confiante. Tu as quelque chose, Denis ?

– Non. Penses-tu qu'il va rappeler ?

– Difficile à dire.

Laurent était furieux contre lui-même. José s'en tirait beaucoup mieux que lui.

Le Petit Parrain était fasciné par l'araignée, mais certainement pas au point de perdre toute prudence. Quand José tenta d'entrer en communication avec lui à cinq heures, il ne reçut aucune réponse.

Les Chevaliers blancs rentrèrent tôt. C'était une soirée perdue, mais pas pour tout le monde...

– Es-tu capable de trouver l'adresse de *Black Spider* ? Sa véritable adresse ?

Doigts d'or était content. Le Padrino avait toujours autant besoin de lui, sinon il ne serait pas assis sur cette chaise, moins de vingt-quatre heures après lui avoir fait comprendre qu'il pouvait se débrouiller tout seul.

– C'est pas évident, mais c'est faisable.

– C'est long ?

– Faut connaître les bonnes filières. J'ai quelques *hackers* de ma connaissance qui peuvent m'aider. Une semaine, ça te va ?

– Pour nous retracer nous, ça prendrait combien de temps ?

– Chaque fois que tu me files une nouvelle adresse, je brouille les cartes. Connaissant les agents Glad qui servent de policiers sur Internet, tu as toujours quelques semaines d'avance sur eux et dès que tu changes d'adresse, c'est terminé, ils ne peuvent plus te retrouver.

– Et si *Black Spider* faisait pareil ?

– On le saura dans une semaine. T'as des doutes ?

– Pas vraiment, mais j'aime bien savoir à qui j'ai affaire.

Le lendemain, José réussit à rétablir le contact. Cette fois, pas question de précipiter les choses.

« Si on parlait de choses sérieuses maintenant ? *Black.* »

« Genre ? P°. »

« As-tu une proposition à me faire ? *Black.* »

« J'ai besoin d'un peu de temps pour organiser tout ça. Une semaine, deux au max. Tu peux attendre ? P°. »

« Si c'est du sérieux… *Black.* »

« Oui, du très sérieux. Des dizaines de milliers de dollars en jeu et des conditions top sécurité. P°. »

« Parfait. Contacte-moi quand tu seras prêt. *Black.* »

Les Chevaliers étaient fous de joie. Il semblait bien que la partie était sérieusement engagée.

Chapitre XII

Coupe-feu

« NON, c'est pas vrai ! »

Depuis quelques semaines, Big Ben, dissimulé sous le nom de Ornot Toubi, passait tout son temps libre à fréquenter le milieu des *hackers*. Il avait identifié les forums les plus populaires après avoir mené une recherche dans les milliers de sites qui ouvraient une porte plus ou moins grande sur ce monde plus ou moins souterrain.

Très vite il avait entendu parler de *The Messiah of Doom*, le fameux Pirate des Pirates, une figure mythique dont tous les *hackers* sans exception colportaient les exploits, des *hacktivistes* purs et durs, partisans de la liberté totale, jusqu'aux mercenaires vivant des fruits de leurs cybercrimes. *The*

Messiah of Doom ne faisait partie d'aucun groupe, ne fréquentait aucun forum et personne, jamais, n'avait même bavardé avec lui. À croire qu'il était le parfait héros d'une légende urbaine.

Alors qu'il faisait sa tournée quotidienne dans l'espoir de glaner quelques informations sur le Padrino, Big Ben eut le temps d'apercevoir un nom qui ne lui était pas inconnu parmi les participants d'un forum très fréquenté par les *hackers*. À peine l'avait-il vu qu'il s'était rapidement isolé avec un autre participant. Doigts d'or... Doigts d'or... Ben croyait se rappeler qu'un membre des Youfs portait ce nom et il se mit à prendre des renseignements d'un côté et de l'autre. Il finit par apprendre d'un *script kiddy* plus bavard que les autres que Doigts d'or était un *hacker-mercenaire* qui fréquentait peu la communauté, mais qui venait de temps à autre échanger des trucs et des logiciels avec les *hackers* les plus réputés. Ces temps-ci, il voulait retracer quelqu'un et comme on lui devait quelques services, il obtiendrait sûrement les tuyaux qu'il était venu chercher.

Big Ben ferma l'ordinateur en proie à une extrême agitation. Et si Doigts d'or était justement en train de pister *Black Spider* et découvrait l'identité de José ?

Quatre heures dix. José devait justement venir le rejoindre au labo pour qu'ils se rendent au poste.

– Tu t'énerves pour rien, dit José. Les enquêteurs ont sûrement prévenu le coup, voyons ! Et puis, ce n'est pas mon nom et mon adresse qu'il trouverait, c'est celui de l'agent qui utilise cet ordinateur d'habitude. Pas vrai, Laurent ?

Le policier n'avait pas l'air des plus confiants.

– C'est vrai que nous avons un système de protection très efficace. Dans le cyber sabir, ils appellent ça des coupe-feu, mais les *hackers* sont des adversaires redoutables, ils finissent toujours par trouver une feinte...

– C'est quoi ça, un sibersabi ?

– Le cyber sabir vient du jargon des informaticiens. J'ai bien peur que Ben ait raison, José. Si le Padrino se méfie, il va tout faire pour connaître la véritable identité de *Black Spider* avant de lui confier une mission. J'imagine que c'est la raison pour laquelle il t'a demandé un peu de temps.

– Et si je suis brûlé en tant que *Black Spider*, c'est quoi le plan B ?

– Actuellement, tous nos enquêteurs sont aux trousses des Youfs qui ont continué leur petit trafic dans les cégeps et les universités. Nous avons relevé presque tous leurs numéros, c'est une question de jours avant que nous soyons prêts à intervenir. Je me demande si nous ne devrions pas miser de ce côté pour cerner le Padrino, en espérant qu'il ne réussisse pas à identifier *Black Spider* avant l'opération policière, parce que s'il y arrive, il risque de donner l'alarme, et tous les Youfs vont s'évaporer dans le cyberespace en moins de deux.

José ne tenait pas à rendre les armes aussi facilement. Il insista :

– Tout ça, ce sont des suppositions. Moi, je trouve que le Petit Parrain n'avait pas l'air tellement méfiant. Je devrais communiquer avec lui et essayer de tâter le terrain. Si je vois qu'il se méfie, on n'aura qu'à laisser tomber *Black Spider*.

Laurent était perplexe.

– Attendons jusqu'à vendredi. Si tu le contactes maintenant, il pourrait trouver que tu es trop pressé. Vendredi, ce sera plus normal que tu ailles aux nouvelles et, à ce moment-là, nous serons prêts à lancer l'opération.

« As-tu du nouveau ? P°. »

« Oui et non. Je sais que *Black Spider* n'opère pas à partir d'un simple ordi, sinon je l'aurais déjà retracé. Il travaille à partir d'un réseau très bien protégé. J'ai fait quelques tentatives, ça n'a pas fonctionné, mais d'ici quarante-huit heures max, j'y serai, c'est sûr. D^2. »

« Donc, c'est un agent double ? P°. »

« Pas sûr. Beaucoup de *hackers* sont ultra équipés. Certains ont même les moyens d'avoir leur propre serveur ; j'ai entendu dire que *The Messiah of Doom* était mieux protégé que les services secrets canadiens. D^2. »

« Tu crois à cette histoire à dormir debout, toi ? P°. »

« Je crois surtout qu'il est encore meilleur en marketing qu'en *hacking*. Mais pour exister, il existe ! Qu'est-ce que tu penses faire si *Black Spider* est dangereuse pour nous ? D^2. »

« J'ai mon plan. T'inquiète pas. Autant elle va être bien traitée si elle est de notre côté, autant je lui réserve une surprise de mon cru si c'est une espionne. P°. »

Depuis le milieu de la semaine, les Chevaliers ne tenaient plus en place. À quatre heures le vendredi, ils se dépêchèrent de se rendre au poste, leurs sacs d'école alourdis par les livres dont ils auraient besoin pour faire les devoirs supplémentaires que certains de leurs professeurs avaient fini par leur imposer dans l'espoir qu'ils se calment.

Quand ils firent irruption dans le local, ils sentirent tout de suite que quelque chose ne tournait pas rond. Les écrans des ordinateurs étaient tous allumés, mais il n'y avait personne devant. Dans le bureau vitré au fond de la pièce, Laurent se tenait face au terrible capitaine Proot. Ils furent tirés de leur muette contemplation par Alexandrie qui revenait des toilettes.

Elle passait ses journées au poste, et ses soirées chez sa cousine Claudie. Il n'était pas question pour elle de retourner dans la métropole avant que sa réputation soit blanchie.

– Vous vouliez du nouveau, les gars ? En voici : regardez le travail !

La jeune fille leur désignait l'un des ordinateurs. Mais elle aurait pu en montrer un autre et un autre encore.

Sur chaque écran, en lieu et place du logo de l'ECCU qui apparaissait sur le site officiel lorsque les ordinateurs n'étaient pas utilisés, les Chevaliers pouvaient voir le lugubre dessin d'une araignée noire stylisée prise au centre de sa propre toile. Le Padrino avait non seulement réussi à traverser le coupe-feu, mais il avait pris le contrôle du réseau, paralysant le travail des enquêteurs. Un court message pendait au bout d'un fil de la toile :

« Tu voulais du boulot, l'araignée ? En voici un : la restauration du réseau de l'ECCU, l'Escouade des cybertwits de la Communauté urbaine. Quand tu seras prête, appuie sur Option P, et je te rendrai les commandes... je n'en ai rien à faire de toute façon. Padrino. »

Au moment où José approchait un doigt incertain en direction du clavier, Laurent sortit du bureau et lui lança d'un ton impératif :

– Ne touche à rien, José ! Si tu appuies sur cette touche, tu vas sans doute bousiller toutes les données ! C'est comme ça que les pirates procèdent. Ils s'arrangent pour que la victime fasse le sale travail à leur place.

– Qu'est-ce qu'on peut faire, d'abord ?

– Rien pour l'instant. Vous allez juste rentrer chez vous.

L'opération contre les Youfs était compromise et le capitaine était dans une colère noire. Ce n'était pas le moment de défier ses ordres.

Quand les jeunes furent partis, Laurent dut essuyer une autre tempête. Le recteur Casavant exigeait des résultats dans les trois jours, sinon il irait trouver les instances politiques pour dénoncer l'incompétence de l'ECCU et réclamer la tête de ses enquêteurs. Sa voix tonnait au bout du fil comme Poséidon ordonnant aux flots de se déchaîner. Il coupa la communication si brutalement que Laurent en resta interdit. Il lâcha un soupir excédé et se dit à lui-même :

– Beau gâchis !

L'agent Denis regardait Laurent d'un air dépité.

– On n'aurait jamais dû permettre aux jeunes de se mêler de ça.

– Je te signale que ce sont eux qui avaient les pistes dont on avait besoin. Et je ne m'estime pas vaincu. Rappelle nos hommes, on va prendre les Youfs de vitesse. L'opération va avoir lieu ce soir ; le Petit Parrain ne s'attend sûrement pas à ce qu'on agisse aussi vite. On a toutes les adresses des pirates sauf la sienne, et lui, c'est MON problème. Je te jure que je vais m'en occuper personnellement.

– Pour les garçons, tu fais quoi ?

– On n'a pas le choix, on va avoir besoin d'eux. Dès que l'escouade d'intervention sera prête à procéder aux arrestations, je vais leur envoyer l'adresse électronique de chacun des Youfs pour qu'ils les occupent en attendant que les policiers les interpellent. De toute façon, ce sont nos propres agents qui l'auraient fait d'ici si le Padrino n'avait pas bousillé le système !

– Pas mal… Prêt ?

– Prêt !

À sept heures ce soir-là, assis devant leur ordinateur respectif, le cœur battant à tout rompre, les Chevaliers prirent les lignes des pirates d'assaut.

« J'ai besoin d'un travail de géo. C'est *Snake* qui m'a dit de communiquer avec toi. Mygale. »

« Pour un A en physique, ça me coûterait combien ? Aldo m'a dit qu'on pouvait te faire confiance. *Pink Panther.* »

« C'est pour un copain. Il a besoin des réponses de son examen de stats. J'ai eu le tuyau par Rubik. Mamba. »

Le chassé-croisé électronique entre Chevaliers et Youfs dura ainsi une bonne demi-heure avant que le silence s'installe progressivement chez les pirates. C'était signe que les arrestations allaient bon train. À neuf heures, un message de Laurent leur confirmait que l'opération était terminée.

Trois des pirates avaient été appréhendés dans l'île de Montréal, un à Sherbrooke et deux à Québec. Ne manquaient à l'appel que deux membres de la bande : Doigts d'or, qui avait filé à l'anglaise avant l'arrivée des policiers, et le Padrino, dont nul ne connaissait l'adresse.

De la maison des Landry où il venait d'emménager pour la prochaine semaine, le Padrino apprit les détails de l'opération policière au bulletin de fin de soirée. Tranquillement, son visage s'éclaira d'un sourire. Il avait deux raisons d'être fier : non seulement avait-il encore une fois échappé au piège des autorités, mais il avait aussi sauvé la mise à Doigts d'or.

À quelques rues de là, assis devant la télé entre le chien Moguaï et son épouse Françoise, le recteur poussa un énorme soupir de soulagement. Il avait l'impression de se réveiller du plus éprouvant cauchemar de sa vie. Il se leva et décrocha aussitôt le téléphone pour parler à Laurent :

– Allô ! Inspecteur Sébastien ? Je n'étais pas certain de vous trouver à une heure pareille au poste. Toutes mes félicitations pour le coup de filet. Je savais bien que j'avais raison de vous faire confiance.

À l'autre bout du fil, Laurent, qui, son manteau sur le dos, s'apprêtait à rentrer enfin chez lui, fit une grimace à cette espèce de visage à deux faces et le remercia d'une voix glaciale.

Chapitre XIII

The Messiah of Doom

JAMAIS personne n'avait vu *The Messiah of Doom*, mais le plus étrange, c'est que personne ne s'était même vanté de le connaître. Selon Ben, ça voulait probablement dire que « Le Messie du Destin » venait des profondeurs abyssales de l'esprit d'un internaute en mal de célébrité qui n'avait pas jugé utile de mettre un copyright sur son invention. Plusieurs soirs de suite, Ben avait essayé d'entrer en communication avec lui, sans résultat. Si les Chevaliers blancs étaient d'accord, le deuxième volet de son plan pouvait être mis en place. Il fit un peu de ménage dans sa chambre, rien d'exagéré, juste pour que ses amis puissent s'asseoir, et attendit fébrilement leur arrivée, qui se produisit cinq minutes plus tard.

Louis-Jacques résuma l'opinion générale :

– On va avoir besoin de se lever de bonne heure si on veut regagner la confiance du Petit Parrain !

– On n'a pas le choix ! Il va falloir trouver quelque chose !

Yan se tourna vers Alexandrie comme si elle venait juste de se matérialiser à côté de lui.

– Tu n'es pas partie pour Montréal, toi ?

– Non, et je n'ai pas l'intention d'y retourner avant qu'on lui ait mis le grappin dessus. J'ai failli être renvoyée du cégep par sa faute. Tu as oublié ?

– Tu risques d'y passer les vingt prochaines années de ta vie ! As-tu de quoi tenir ?

Ben s'interposa.

– Laisse-la tranquille. D'ailleurs, je pense que j'ai trouvé comment ramener le Petit Parrain à la surface.

Les cinq Chevaliers le regardèrent, partagés entre l'espoir et l'incrédulité.

– Je pense qu'on est d'accord pour dire, un, que l'araignée noire est grillée et, deux, que Laurent va trouver qu'on en a assez fait. Non ?

– Ouais. Laurent a téléphoné chez moi aujourd'hui. Il voulait nous dire merci et m'avertir qu'il tient à s'occuper PERSONNELLEMENT de la suite des choses. De toute façon, le réseau de l'ECCU est grillé aussi, alors...

– T'inquiète pas, José. Laurent a toujours eu besoin de nous, et ce n'est pas demain la veille que ça va changer. Imaginez-vous donc que j'ai trouvé un remplaçant parfait pour *Black Spider*.

– Qui ça ?

– Le Pirate des Pirates en personne ; *The Messiah of Doom*. Une créature qui n'existe pas, enfin, dans la réalité pas virtuelle je veux dire, et qui a un c.v. long comme d'ici à l'île d'Anticosti. Je peux me servir de cette identité pour attirer le Padrino. Si on trouve une combine assez payante à lui offrir, il ne pourra pas dire non au pirate le plus populaire du Net. Qu'est-ce que vous en dites ?

– Que c'est pas idiot. Ma belle-mère travaille dans un institut de recherche en biotechnologie, et il y a pas mal de coups bas entre concurrents ces temps-ci. Elle n'arrête pas de me casser les oreilles avec ses histoires de « veille informatique ».

– Oui, et après ?

– Eh bien, la « veille informatique », c'est de l'espionnage industriel, ça doit être payant.

– C'est sûr, Louis-Jacques, sauf qu'on ne va pas se mettre dans l'illégalité comme avec le piratage des travaux, ça a failli nous coûter assez cher merci, surtout à Alexandrie d'ailleurs.

– Merci de t'en rappeler, José.

Alexandrie jeta un œil triomphant à Yan tandis que Louis-Jacques reprenait :

– Isabelle – c'est ma belle-mère – peut peut-être nous aider. La boîte où elle travaille n'est pas très grosse et d'après elle, son patron est très branché et il a une sainte horreur du piratage. Il pourrait marcher avec nous si on lui présentait un plan qui a de l'allure.

– À quoi tu penses ?

– Je sais pas moi ! Forcez-vous un peu !

Marc-André vint à la rescousse.

– Ce qu'il faut, c'est trouver deux entreprises complices : une qui détient des renseignements et une autre qui veut les avoir. Évidemment, elles seraient dans le coup toutes les deux. Comme ça, on ne ferait rien d'illégal, mais si le Petit Parrain accepte de faire le boulot, et c'est là que ça risque d'être difficile, c'est lui qui va se mettre les pieds dans les plats.

– Penses-tu être capable de convaincre le Petit Parrain, Ben ?

– Sûr !

– Génial ! Alors, toi Ben, tu t'occupes du Petit Parrain ; Louis-Jacques, tu parles à ta belle-mère pour avoir un rendez-vous avec son patron. J'imagine que si l'idée lui plaît, il va nous aider à trouver la compagnie qui servira de complice. Tu iras le rencontrer avec Yan. Pendant ce temps-là, je vais faire des recherches pour découvrir où se cache le Petit Parrain et dès que j'ai trouvé, Marc-André et Alexandrie vont le prendre en filature et ne le lâcheront plus d'une semelle jusqu'à ce qu'on soit prêts à avertir Laurent qu'il peut aller le cueillir.

– Il y a juste un petit problème...

– Quoi ?

– Pour entrer en contact avec le Petit Parrain, il me faut un ordi. Je ne peux pas faire ça à l'école, c'est trop risqué.

Louis-Jacques vit que tous les yeux se tournaient vers lui et s'inclina de bonne grâce.

– Compris, je t'apporterai mon portatif ce soir. C'est tout ?

– Merci, vieux ! C'est pour une bonne cause !

Le Padrino avait largement de quoi vivre pour les cinq prochaines années, sans parler de Doigts d'or qui, avec ses habitudes frugales, en aurait facilement eu pour dix ans. Mais ni l'un ni l'autre ne voyaient l'intérêt de prendre une retraite aussi anticipée. Bien au contraire. Quelques jours après les événements, le Petit Parrain s'était trouvé une nouvelle adresse et Doigts d'or, un appartement aussi délabré que le précédent. Il avait acheté le meilleur équipement informatique qui soit et une branche flambant neuve pour Zoraht.

La planque du Padrino était un presbytère orphelin de son église, cette dernière ayant récemment passé sous le boulet des démolisseurs. Quant au presbytère, il avait échappé à l'anéantissement parce qu'il pouvait se louer ou se vendre comme une maison, ce que stipulait la pancarte de l'agent immobilier. Mieux encore, la compagnie propriétaire de l'immeuble étant torontoise, le Padrino n'avait eu qu'à leur expédier un mandat-poste couvrant les frais de location pour six mois et griffonner deux ou trois faux renseignements sur le formulaire.

Ben disposait de deux semaines pour repérer le Petit Parrain et le convaincre d'accepter une mission. À ce moment-là, les vacances de Pâques commenceraient et les Chevaliers auraient les coudées franches pour mener l'opération à bien.

Il continua donc à faire des incursions dans les forums des *hackers* en changeant fréquemment de nom pour se documenter le plus possible au sujet du légendaire *Messiah of Doom*. Le célèbre pirate avait paralysé des banques, disaient certains, il avait trafiqué des cotes à la Bourse de Toronto, aucun coupe-feu ne lui résistait et ses opérations financières, de plus en plus audacieuses, avaient pour but, disaient les autres, de lever une armée virtuelle pour paralyser Internet. Ses crimes étaient si menaçants pour les compagnies touchées qu'ils parvenaient rarement aux oreilles des médias. *The Messiah of Doom* pouvait enchaîner coup sur coup deux ou trois opérations pour disparaître ensuite des mois durant. D'aucuns prétendaient que ses plus proches collaborateurs faisaient partie de l'élite mondiale des informaticiens, que certains d'entre eux avaient des couvertures en béton parce qu'ils occupaient des postes clés dans de grandes administrations et que leur nombre permettait au Pirate des Pirates de ne faire appel à eux qu'à l'occasion, ce qui minimisait d'autant les risques de capture. Un des informateurs de Ben lui avait aussi affirmé qu'il était extrêmement bien renseigné sur le compte de tous les *hackers* disponibles. Il faisait les approches lui-même et traitait toujours d'égal à égal avec ses recrues.

– Penses-tu qu'il va nous prendre au sérieux ?

Yan avait l'impression de rapetisser à mesure qu'il approchait de la bâtisse de béton blanc où ils avaient rendez-vous avec Martin Loiselle, le pdg de BioLogic. L'édifice était petit, lisse et mystérieux comme un bunker. En tout cas, une chose était sûre, cet homme avait de la classe. Aussitôt que Louis-Jacques avait prévenu la réceptionniste de leur arrivée, le jeune président était venu les chercher en personne.

– Alors, c'est vous les chasseurs de pirates ? Isabelle ne m'a pas dit grand-chose, mais vous allez tout m'expliquer et on verra si je peux faire quelque chose pour vous.

Avec sa verbosité naturelle, Yan n'avait pas aussitôt mis les pieds dans le bureau qu'il exposait déjà la situation en long et en large, incluant les exploits des Chevaliers lors de leurs deux premiers affrontements avec le Petit Parrain.

Louis-Jacques prit la relève pour expliquer leur plan avec une économie de mots que Martin Loiselle sembla apprécier, lui-même étant un homme concis.

– Je vois.

Yan et Louis-Jacques échangèrent un regard inquiet.

– Qu'est-ce que vous diriez de « Opération VIP » ?

– [...]

– VIP pour Veille Informatique Pirate.

– C'est bon ! Hein, Yan ?

– Oui, c'est pas mal trouvé.

– J'ai un ami qui a une petite entreprise de consultants. Je verrais bien InfoBio, c'est la boîte en question, faire appel à un pirate pour obtenir certains de nos résultats de recherche qu'elle aurait promis à une compagnie concurrente. Ça vous plaît ?

– Sûr. Ce serait parfait. Qu'est-ce que t'en penses, Yan ?

– Parfait !

– Laissez-moi voir comment on pourrait arranger le coup. Je mets ça en tête de liste de mes priorités, promis !

– Monsieur Loiselle ?

– Oui… Louis-Georges ?

– Louis-Jacques. Pourquoi faites-vous ça ? Après tout, vous devez être pas mal occupé ?

– J'ai déjà eu affaire à des *hackers*, ça a failli me coûter ma société.

– Bon, alors merci !

– Ça me fait plaisir. À bientôt.

Doigts d'or commençait à trouver le temps long. Il était prêt à se remettre au boulot depuis une semaine, mais il était sans nouvelles du Padrino, et sa spécialité, c'était l'informatique, pas la logistique. Tant pis, il allait lui envoyer un court message pour le rappeler à son bon souvenir.

« A P°, paff ; -) D^2. »

Quelques instants plus tard, la réponse, non codée, arrivait, ce qui signifiait que le dispositif de sécurité était en place.

« Comme ça, tu es déjà *prêt à faire feu* D^2 ? Les vacances ne te plaisent pas ? P°. »

« C'est emmerdant à mourir. Qu'est-ce qu'on fait ? D^2. »

« Je suis en train de voir, mais je ne suis pas encore décidé. Cette fois, je veux quelque chose de méga. As-tu une suggestion ? P°. »

« Quel genre de suggestion ? D^2. »

« Le genre payant et prestigieux. P°. »

« Comme les opérations du *Messiah of Doom* ? D^2. »

« Mettons ! S'il existe… P°. »

« J'ai encore entendu parler de lui, hier. Tous les *hackers* disent que c'est le meilleur. Et ce ne sont pas n'importe quels *hackers* qui disent ça ; ce sont ceux qui m'ont aidé à retracer *Black Spider*. D^2. »

« Ça, c'était pas mal ! Bon, continue à prendre des informations, on ne sait jamais, je fais la même chose de mon côté. On se parle cette semaine. P°. »

Le Padrino fit une grimace. *The Messiah of Doom* ! En dépit du désir qu'il avait de prouver sa supériorité dans les eaux troubles des pirates informatiques, le Petit Parrain n'était pas fou. Il avait encore du métier à prendre et quelques coups d'éclat à inscrire à son palmarès. Parler à ce mystérieux pirate ne serait peut-être pas si mal, vu que personne n'y était encore parvenu.

« À D^2, j'aimerais que tu me trouves un max de renseignements sur ce *M of D*. P°. »

« Bien reçu. D^2. »

– Écoutez, mademoiselle, les jeunes qui passent par le Centre subissent leur peine et ensuite ils sont libres d'aller où ils veulent. Nous ne sommes pas plus intéressés à suivre leurs traces qu'autorisés à fournir des renseignements sur eux.

Alexandrie baissa les yeux.

– C'était mon petit ami !

– Ah, bon ! Je vois.

– Il a essayé de me téléphoner chez ma mère, mais j'étais en voyage. Je me disais que vous aviez peut-être son adresse ?

La préposée aux renseignements se rappelait très bien François et trouva tout à fait plausible qu'un garçon aussi beau et mystérieux ait séduit cette jeune fille et sans doute d'autres aussi.

– Attendez, je vais voir, mais c'est une entorse aux règlements...

Et elle se dirigea vers une rangée de classeurs.

– Vous êtes vraiment gentille.

– Je sais.

Elle revint quelques minutes plus tard avec un bout de papier.

– Tenez. C'est l'adresse de son père qui figure au dossier. Peut-être qu'il y est toujours ?

– Merci.

Alexandrie tourna les talons, dépitée. Elle ne savait pas trop à quoi elle s'était attendue ; après tout le Petit Parrain n'était pas du genre à transmettre ses changements d'adresse à ses anciens gardiens, mais elle avait espéré attraper une remarque au vol ou quelque chose du genre qui l'aurait mise sur une piste. José avait déjà essayé à la pâtisserie de son père et auprès de Cassonade, un Youf repenti qui affirmait n'avoir pas eu de nouvelles du Petit Parrain depuis sa sortie du Centre et ne voulait pas en avoir. Mine de rien, il avait même essayé de relancer Laurent, mais celui-ci ne voulait pas parler et, l'eût-il voulu, José comprit à demi-mots qu'il n'en savait pas tellement plus qu'eux.

Le seul espoir qui restait maintenant, c'était Big Ben.

Une fois suffisamment renseigné sur les histoires qui avaient alimenté la légende du *Messiah of Doom*, Ben lança la rumeur du retour imminent du Messie dans les forums des pirates informatiques. Il était, murmurait-on, à la recherche d'un collaborateur de haut niveau. Puis, une fois la rumeur bien installée,

Ben la laissa courir et attendit patiemment les résultats.

Il était convaincu que le Petit Parrain se manifesterait et tout aussi persuadé qu'il se servirait de la même signature que lors de ses entretiens avec *Black Spider*, par assurance ou par défi ; c'était dans sa nature.

Mardi, mercredi, jeudi passèrent sans nouvelles. Les vacances de Pâques commençaient et ce n'est pas la directrice qui s'en serait plainte. Elle avait besoin de reprendre des forces. Exception faite de la mise sur pied du laboratoire d'informatique qui, malgré des débuts hésitants, était en train de faire un malheur dans l'école, l'année scolaire avait été marquée par de nombreuses tensions entre professeurs et élèves récalcitrants, une situation à laquelle l'école Saint-Martin avait échappé jusque-là. Yolande Séverin anticipait avec appréhension le départ du petit groupe des Chevaliers blancs vers le secondaire. Ils n'étaient pas de tout repos, mais ils étaient courageux et attachants. L'école allait se durcir, c'était inévitable, peut-être même irréversible.

Ben fit le chemin du retour avec les autres. Selon Louis-Jacques et Yan, Martin Loiselle s'était donné un mal de chien pour mettre au point un scénario crédible avec le patron d'InfoBio. Ils pourraient prêter leur concours aux Chevaliers dès que Ben aurait trouvé et convaincu le Padrino de faire partie de l'Opération VIP. José, Alexandrie et Marc-André comptaient aussi sur lui pour obtenir ne serait-ce qu'un indice qui leur permette de trouver son repaire. Ben leur promit de se mettre en faction devant l'écran vingt-quatre sur vingt-quatre s'il le fallait et de les avertir dès qu'il aurait du nouveau.

Vendredi, samedi et dimanche passèrent aussi. Alors qu'il commençait à désespérer, Ben surprit un échange dans le forum préféré des *hackers* qui mettait en contact l'un de ses informateurs, Big Affendi, et Doigts d'or, l'âme damnée du Padrino. Ils échangèrent des banalités avant de disparaître du forum. Ben attendit son heure et, quand Big Affendi réapparut, il fondit sur lui.

« Tu connais D^2 ? C'est vraiment un as ! Ornot Toubi. »

« Ouais, il est pas mal. Affendi. »

« Qu'est-ce qu'il voulait ? Ornot Toubi. »

« Des infos sur *Messiah of Doom*. Selon la rumeur, il serait dans les parages, et j'ai l'impression que D² veut le mettre en contact avec une grosse pointure. En tout cas, je lui ai dit que *Messiah of Doom* établit toujours ses contacts lui-même. Paraît que c'est quelqu'un de très simple. Il commence toujours par demander s'il dérange, comme si tous les *hackers* ne rêvaient pas d'être dérangé par lui ! Ensuite, il propose un arrangement pour que les rencontres soient sécuritaires. Affendi. »

« Je ne pense pas avoir sa visite de sitôt, mais ça pourrait t'arriver à toi. Ornot Toubi. »

« J'aimerais trop ça ! Affendi. »

« Sais-tu où je pourrais parler à D² en privé ? J'ai envie de lui proposer mes services. Pour des petits boulots, n'importe quoi. Ornot Toubi. »

« Va sur le forum *What's new pussicat ?* et dis-lui que c'est moi qui t'envoie. Affendi. »

« Merci, vieux. À charge de revanche. Ornot Toubi. »

« T'as des croûtes à manger avant, mais t'es quelqu'un de bien, Ornot. À +. Affendi. »

La suite allait être délicate. Ben devait obtenir rapidement le plus d'informations possible sur le système informatique de D^2 et sur son fournisseur de services sans éveiller ses soupçons et essayer ensuite d'utiliser ces infos pour tenter de retracer le Padrino. Il fallait absolument qu'il trouve les coordonnées de celui-ci s'il voulait endosser l'identité du *Messiah of Doom*. La nuit s'annonçait longue, laborieuse et pleine de dangers. Heureusement, Ben avait établi quelques contacts avec d'autres pirates et s'était lié avec un employé travaillant pour un important fournisseur de services Internet. Il se sentait d'attaque.

Chapitre XIV

Opération VIP

LE PADRINO s'était rendu en personne chez Doigts d'or. Il avait absolument besoin de parler à quelqu'un.

– Veux-tu manger quelque chose ?

Le Petit Parrain regarda le coin cuisine, l'air débraillé de son collaborateur et répondit sobrement :

– Non, merci ! Répète-moi donc ce que ton contact t'a dit à propos du « fameux » *Messiah of Doom* ?

– Ce ne sera pas facile. Paraît qu'il fait lui-même les approches quand il est prêt.

– Et ensuite ?

– Eh bien ! ensuite il s'informe pour être certain de ne pas déranger !

– Et après ?

– Après, il propose un lieu de rendez-vous virtuel sans danger.

– C'est tout ?

– C'est pas mal ça.

– Ses opérations, ça ressemble à quoi déjà ?

– Ces temps-ci : trafic de renseignements.

– Doigts d'or, tu as devant toi le prochain collaborateur du *Messiah of Doom.*

Les yeux du Petit Parrain irradiaient de fierté, même si l'exercice du pouvoir lui avait appris à garder le reste de son visage parfaitement neutre.

– Il t'a contacté ?

– Ça a bien l'air !

– Comment ça s'est passé ?

– Ex-ac-te-ment comme tu viens de le dire !

– C'est capoté ! Hein Zoraht ?

L'iguane cligna des yeux et raffermit sa position sur l'épaule de son maître dans une souveraine indifférence.

– Qu'est-ce que tu en dis ?

– C'est méga. C'est quoi le plan ?

– Nous procurer le protocole de recherche d'un produit mis au point par un laboratoire de biotechnologie qui n'a pas encore trouvé les fonds pour exploiter sa découverte. Le Messie a un client étranger que ça intéresse et un contact avec quelqu'un de la boîte qui nous donnerait accès au labo. Nous, on n'aurait qu'à subtiliser les données et à les transmettre pour la modeste somme de vingt mille dollars.

– C'est presque trop beau.

– C'est aussi ce que j'ai pensé. Alors, pendant l'échange, j'ai fait exprès pour lancer des informations contradictoires sur son compte et je peux te garantir qu'il connaît par cœur tous les bruits qui courent sur lui. C'est fascinant.

– Qu'est-ce qu'il sait sur toi ?

– Que j'ai mis les universités sens dessus dessous et échappé à la police. Ah oui ! et que je travaille pour mon compte ! D'ailleurs, ça, ça me plaît. Le Messie m'a confirmé qu'il n'a personne sous ses ordres. Il déteste ça. Il traite d'égal à égal avec ses collaborateurs et il en change selon les missions qu'il choisit de faire.

– Vous n'avez pas prévu de rencontre, j'imagine ?

– Non, évidemment. Il appelle son site La Crypte, et j'ai appelé le mien Le Vieux Presbytère. Pas mal trouvé, non ?

– Génial. On commence quand ?

– Ce soir. Je t'enverrai un message dès que j'aurai reçu la commande officielle.

The Messiah of Doom avait toutes les raisons de pavoiser, mais il était paisiblement assis dans sa chambre d'adolescent, à vider un sac de chips avec beaucoup d'application. Près de lui, Marc-André fouillait dans l'annuaire téléphonique à la recherche des adresses de tous les presbytères de la ville et Alexandrie en prenait note.

– Je n'en reviens pas encore ! Il t'a dit ça ? Qu'il habitait un presbytère ?

– Non pas exactement. Mais quand je lui ai dit que mon site s'appelait La Crypte et que je lui ai demandé le nom du sien, ça a pris un certain temps avant qu'il réponde ; il a forcément pris son inspiration là où il se trouve.

– Il cohabiterait avec un curé et sa ménagère ?

Alexandrie connaissait le Petit Parrain depuis la rue Sault-au-Matelot et elle avait sa petite idée là-dessus.

– Il a toujours cherché des repaires abandonnés dans des endroits très animés. J'en conclus qu'il habite soit un édifice condamné à proximité d'un presbytère, soit un presbytère qui a été fermé. Il doit y en avoir quelques-uns au train où on ferme les églises !

Marc-André referma le bottin avec fracas.

– Dans ce cas, on cherche là-dedans pour rien. Ce qu'il faut, c'est trouver une carte qui indique toutes les églises de la ville et y aller pour voir lesquelles ont un presbytère ou un édifice voisin inhabité.

– Je sors aussi, je dois aller rencontrer monsieur Loiselle chez BioLogic pour mettre l'opération au point. C'est ce soir que ça commence, mais on va essayer d'étirer la sauce, le temps que vous ayez pu faire vos recherches.

– Et si on ne le trouve pas ?

– On verra ça plus tard. On se voit demain.

Claudie, la cousine d'Alexandrie, essayait de suivre les indications que cette dernière et Marc-André lui donnaient, mais ils faisaient un tel tintamarre tous les deux et se contredisaient si souvent qu'elle avait même du mal à respecter la signalisation. Elle faillit griller un feu rouge et décida que c'était assez. Elle se rangea le long du trottoir.

– Écoutez, vous deux, je veux bien consacrer ma journée à faire le tour des églises, je veux bien y aller dans l'ordre que vous avez choisi, par les rues que vous avez choisies, MAIS ENTENDEZ-VOUS, sinon on arrête ça là et vous rentrez à pied !

La cousine d'Alexandrie avait vingt ans, assez pour espérer imposer un peu d'ordre dans la voiture. Elle les vit essayer de plier la grande carte de la ville pour la consulter sans gêner ses mouvements, et se sentit touchée par cette attention. Elle redémarra sur les chapeaux de roues : la mission était d'importance et ils allaient la mener à bien.

La ville de Québec est pleine d'églises et de presbytères. Ils n'en avaient vu aucun situé à proximité d'édifices vacants. Par contre, à force de discuter avec un bedeau particulièrement loquace, ils avaient appris que les presbytères orphelins de leur église n'étaient pas démolis mais vendus. Il y en avait même un dont on avait récemment annoncé la location et qui, semble-t-il, avait trouvé preneur. C'était une compagnie de Toronto qui en était propriétaire.

La nuit allait bientôt tomber, les trois détectives amateurs commençaient à sentir la fatigue et la faim. Claudie appuya sur l'accélérateur.

– Je vous offre le resto ?

– Tu parles !

Elle connaissait un petit restaurant de quartier pas très loin du presbytère dont le bedeau leur avait parlé. Joignant l'utile à l'agréable, elle entraîna Alexandrie et Marc-André *Chez Ti-Mousse* où elle espérait obtenir des renseignements sur le presbytère. Décoré d'objets marins, le petit casse-croûte ressemblait à une ancienne péniche arrivée à la faveur d'une grosse crue du fleuve et abandonnée par erreur au bord du trottoir. Ils mangèrent tous les trois de bon appétit. Au dessert, Claudie interpella la serveuse, une femme assez âgée qui devait être l'épouse du cuistot.

– J'ai entendu dire que le presbytère de la paroisse est à louer ?

– Vous habitez par ici ?

– Non, nous, on a encore notre église.

– Pas pour longtemps, croyez-moi. Ils sont plus capables de les garder, ça coûte trop cher de chauffage.

– Et le presbytère ?

– Vendu. À une compagnie étrangère.

– Elle va le démolir aussi, vous croyez ?

– Pas pour l'instant ; quelqu'un l'a loué.

– Ah !

– Vous vouliez le louer vous aussi ?

– Peut-être. En tout cas j'aurais aimé le visiter, c'est sûr.

– Trop tard. C'est un étranger qui l'habite. Je veux dire quelqu'un qui n'est pas du quartier. Il a l'air farouche.

– Pourquoi vous dites ça ?

– Il est jamais venu manger ici. Mais ça ne fait rien. Marielle m'en a parlé.

– Marielle ?

– Elle tient la pâtisserie du coin. C'est un grand consommateur de pains au chocolat.

– Est-ce qu'il a l'air gentil ? Je pourrais peut-être lui demander de me faire visiter.

– À votre place, j'oublierais ça. Il paraît qu'il ne parle à personne, même pas à elle, et pourtant ce n'est pas la façon qui lui manque à Marielle. Elle serait capable de se faire raconter un incendie par une borne-fontaine !

Alexandrie intervint d'un ton délibérément rêveur :

– Est-ce qu'il est beau ?

– Oh oui ! Pour ça, oui. Paraît qu'il est très beau. Et jeune avec ça. Le début de la vingtaine, pas plus. C'est quand même un peu vieux pour vous, ma petite.

Marc-André leva les yeux au ciel, désabusé, Alexandrie soupira et ils quittèrent le restaurant, triomphants.

– Il est tombé dans le panneau ?

– À cent mille à l'heure !

Tout en parlant à Ben, José consultait la liste des propriétés appartenant à la compagnie torontoise *StarTrust*.

– Ça y est, je l'ai ! Eh bien ! on a trouvé où il se cache ! Enfin presque. Demain matin, je vais faire mon enquête auprès de *StarTrust* pendant qu'Alexandrie et Marc-André vont surveiller le vieux presbytère. Ça va chauffer. Quand est-ce que le *Messiah of Doom* doit donner le feu vert au Petit Parrain ?

– Tout est prêt. Yan et Louis-Jacques attendent juste que vous nous confirmiez son adresse. À l'heure qu'il est, je serais capable de prendre le contrôle de son ordinateur. Mais c'est trop tôt.

– Ça m'étonne quand même. Il n'est pas si naïf, il avait même réussi à démasquer *Black Spider*.

– Il y avait un risque, c'est sûr. Mais on commence à le connaître le Padrino. Il a beau être indépendant, le fait que le pirate le plus légendaire du Net s'intéresse à lui, ça le flatte. Et tu peux me croire, je me suis arrangé pour le mettre en confiance. J'ai alimenté la légende et je m'en suis servi ensuite pour qu'il ait l'impression d'identifier le Messie sans se tromper.

– Tu n'as pas peur que le véritable *Messiah of Doom* surgisse de nulle part et te poursuive de sa vengeance ?

– Non. Plus j'examine le tableau, plus j'ai la conviction qu'il n'a jamais existé ailleurs que dans l'esprit d'un internaute qui a fini par perdre le contrôle de sa créature. Ce sont les rumeurs qui en ont fait un pirate de légende.

– Et pour Laurent ?

– Martin a établi un premier contact avec lui sans lui dévoiler le plan et surtout la cible. Il sait seulement que BioLogic est menacé par un pirate et il a accepté d'intervenir si le président de la boîte lui faisait signe.

Martin s'amusait ferme. Ce guet-apens, préparé dans le plus grand secret avec son ami Paul et les jeunes Chevaliers, le payait de toutes les sueurs froides qu'il avait eues à cause d'un pirate particulièrement coriace. Cette fois, c'était lui qui était aux commandes. Il avait réinstallé sur son réseau le protocole de recherche d'un produit qui n'avait jamais pu être mis en marché à cause d'un défaut structurel et avait bricolé des lettres d'intention et des notes de confidentialité plus vraies que nature. L'une d'elles contenait même une mise en garde à l'endroit d'InfoBio qui, sous le couvert de veille informatique, commençait à nourrir les soupçons de certains labos de faire en réalité de la veille informatique pirate à leur détriment.

Pour ne pas éveiller les soupçons du Padrino, le jeune pdg avait installé un système de protection récent qui lui donnerait du fil à retordre. De plus, il avait prévenu Josiane, la jeune réceptionniste, de se tenir prête. Si le Padrino essayait d'obtenir le mot de passe auprès d'elle, elle devait le faire languir, mais sans le décourager. Ils disposaient d'une semaine pour mener l'opération à bien.

Les ordres du *Messiah of Doom* au Padrino étaient simples : repérer et transférer les fichiers du protocole de recherche Zéphir dans une cache virtuelle anonyme avant de les transmettre à InfoBio. Le programmeur-analyste de BioLogic avait la tâche délicate de suivre l'opération à la trace pour apporter un complément de preuve le moment venu.

Convaincu que le vieux presbytère était à l'abri de tout soupçon, le Petit Parrain avait décidé que c'est de là que Doigts d'or et lui rempliraient leur mission. Si quelque chose tournait mal, ils auraient le temps de préparer leur sortie. Mais pour l'heure, l'ordre n'ayant pas encore été donné, ils profitaient de leur temps libre pour s'adonner chacun à sa passion. Le Petit Parrain était aux fourneaux, concoctant un repas gastronomique tel qu'il avait rarement l'occasion d'en faire, tandis que Doigts d'or faisait de la trottinette dans les corridors du presbytère. C'était génial.

– On dira ce qu'on voudra, la liberté, c'est super ! T'as l'intention de continuer avec le *Messiah of Doom* pour un autre coup s'il te le demande ?

– Je verrai. S'il est correct et s'il me propose quelque chose qui nous convienne.

– Oh ! moi, tant qu'il y a des défis et qu'on est bien payés !

– Qu'est-ce que tu fais avec ton argent ?

– Rien pour le moment. J'en ai pas besoin. Mais le salaire, c'est ce qu'on vaut.

Ça nous définit. C'est pour ça que c'est important.

Doigts d'or finit d'engloutir ses antipasti sans plus d'attention que s'il avait avalé un vulgaire *Kraft Dinner*. Dehors, à l'affût du moindre de leurs gestes, Alexandrie et Marc-André auraient volontiers changé de place avec le *caporegime* du Petit Parrain. Il faisait un froid à brûler les clôtures et ils n'avaient rien mangé depuis le déjeuner.

– Bon ! On sait qu'ils sont là et qu'ils vont sans doute y rester jusqu'au signal du *Messiah of Doom*. On rentre ?

Alexandrie était rivée à son poste, une branche d'orme. Elle craignait que, s'ils ne restaient pas en faction, le Petit Parrain ne s'évanouisse une fois de plus dans la nature.

– On reste encore un peu. Quand ils vont aller se coucher, ça voudra dire qu'on peut partir tranquilles.

Marc-André grogna en cherchant une position plus confortable sur sa branche et ils reprirent leur observation.

Le Padrino revint de la cuisine avec un gâteau nappé de mousse au chocolat et de crème.

– Tu ne trouves pas qu'il fait chaud ?

– Ouais, cette baraque est bien isolée. Je vais ouvrir la fenêtre.

Au moment où Doigts d'or tournait la manivelle, Marc-André fit un faux mouvement et la branche céda sous son poids. Un sinistre craquement précéda sa chute jusqu'au sol.

– T'as entendu ça, Padrino ?

– Oui. Il y a quelqu'un dehors.

– Reste, je vais voir.

Alexandrie sauta au sol en implorant le ciel que Marc-André soit sain et sauf.

– Ça va, Marc-André ? Tu n'as rien ?

– Je… je sais pas trop. Je ne sens plus mon pied.

– Peux-tu te lever ?

– Ayoye ! Non… je ne peux pas.

– On n'a pas le temps de faire autrement. S'ils sortent, improvise ! Moi, je vais chercher de l'aide.

– Aie ! Ça fait mal !

Doigts d'or s'avança en observant la masse étendue à côté de la branche cassée, indécis sur l'attitude à tenir.

– Qu'est-ce que tu fais ici, toi ?

– J’essayais d’attraper mon chat ; il était dans l’arbre, mais quand je suis arrivé à sa hauteur il a sauté. Merde !

– Dégage ! C’est privé ici.

– Désolé pour la branche. Peux-tu m’aider à me mettre debout, s’il te plaît ?

– Ouais.

Marc-André parvint à se traîner jusqu’à la rue et attendit les secours, assis au bord du trottoir.

– Alors ? Qu’est-ce que c’était ?

– Un type qui courait après son chat.

– T’es sûr ?

– Positif. Il avait l’air assez piteux, le pauvre. Demain, je vais ramasser la branche pour Zoraht.

– Tu ne trouves pas ça bizarre ?

– Non ! Dans mon coin, il y a toujours une pelletée de propriétaires qui ont perdu leur chat. Il va être quitte pour marcher avec une béquille.

Alexandrie s’était dirigée vers le resto *Chez Ti-Mousse* et en avait ramené le premier client qui lui était tombé sous la main.

– Ça va, petit ?

– Non, pas vraiment. Je ne suis pas capable de marcher.

L'homme le prit dans ses bras.

– Si je vous laisse à l'urgence, ça va aller ?

– Parfait. J'appellerai ses parents pour qu'ils viennent nous chercher.

À minuit, incapable de dormir, le Petit Parrain sortit examiner la branche. Son instinct lui disait que, même si c'était plausible, c'était louche. D'autant qu'en observant l'emplacement de la défunte branche, il s'aperçut que de là-haut, la vue sur sa salle à manger devait être imprenable. Il ne pouvait pas rester ici ; dès demain, il trouverait autre chose.

Chapitre XV

La mouche

– TU CONNAIS ce genre de système, Doigts d'or ?

Assis chacun devant leur écran, l'adrénaline au maximum, ils en étaient au début de l'opération. Le feu vert leur avait été donné une heure plus tôt, à la fermeture des bureaux de BioLogic. Ils disposaient de la nuit pour trouver et si ça ne suffisait pas, ils pourraient toujours se reprendre demain ou après-demain, leur date de tombée officielle.

– Oui, c'est un nouveau système de protection, plutôt efficace.

– Il serait temps que je me remette à jour. Penses-tu qu'ils s'attendent à une visite ?

– Pas spécialement. D'ailleurs ce n'est pas le système le plus coriace que je connaisse.

C'est une mesure de protection normale pour un laboratoire.

– Comment vas-tu t'y prendre ?

– Comme d'habitude. Je vais chercher une feinte pour tromper le système pendant que je me glisse dans le portail entrouvert, mais comme tu sais, ça ne marche pas toujours.

– Et si ça ne marche pas ?

– C'est pas grave.

– C'est toi qui le dis !

– C'est pas grave, parce que le système le plus facile à déjouer dans une entreprise, ce sont les employés. Tu choisis une période neutre, genre dix heures du matin ou deux heures de l'après-midi et tu appelles quelqu'un de l'administration pour l'avertir qu'un nouveau virus menace le réseau et qu'on t'a demandé de vérifier le système de protection. Tu demandes de ne pas prévenir les employés pour ne pas créer de mouvement de panique. Tu rappelles une quinzaine de minutes plus tard pour dire que vérification faite, tout danger est écarté.

Doigts d'or se mit à rire tout seul.

– Quoi ?

– J'ai déjà obtenu le mot de passe d'un opérateur de réseau qui croyait que je travaillais pour la boîte à qui il fournissait le service Internet. Débile !

Le Petit Parrain se leva, laissant Doigts d'or continuer le travail. Ils s'étaient installés dans une ancienne planque à lui, un vieil édifice condamné en face de l'Hôtel-Dieu de Québec. C'était assez sordide, mais le fait que le condo voisin leur fournissait l'électricité par fils interposés justifiait ce choix.

Ils formaient une bonne équipe tous les deux. Doigts d'or n'était pas un emmerdeur et il connaissait son boulot. Ensemble, ils deviendraient les Seigneurs du Net. *The Messiah of Doom* n'était qu'un tremplin.

– Ça y est ! Il a commencé l'opération. Il essaie d'entrer.

Tous les Chevaliers observaient l'écran en silence. C'était le programmeur-analyste de Martin qui était au clavier, flanqué de Martin à sa droite et de Paul à sa gauche. Yan, impatient, demanda :

– Comment le savez-vous ?

– Le logiciel est chargé de nous avertir à la moindre tentative d'intrusion. Quand cette icône clignote de cette façon, c'est qu'il est en mode défensif.

– Ça va être long ?

– Possible. À ce stade-ci, il n'est pas question de lui simplifier la vie. D'après moi, il ne se passera rien de significatif avant demain matin. Vous pouvez aller dormir, les Chevaliers. Paul va vous déposer. Moi, je reste, au cas où.

Ils auraient bien voulu rester aussi, mais c'était impossible. Congé de Pâques ou pas, le couvre-feu parental ne dépassait pas neuf heures.

Dans l'espoir d'étirer le temps, Louis-Jacques demanda où ils en étaient avec Laurent.

– L'inspecteur Sébastien attend de mes nouvelles. Dès que les fichiers vont disparaître, j'ai l'intention de l'appeler et de le mettre au courant. Entre le moment où le Padrino doit mettre les fichiers à l'abri dans un cache virtuel, et celui où il va les transmettre à InfoBio, Sébastien va avoir le temps de planifier l'intervention policière.

Le président d'InfoBio agita ses clefs de voiture pour signaler aux jeunes qu'il était prêt à partir. Mortifiés, les Chevaliers s'arrachèrent à la contemplation de l'écran pour suivre Paul.

– Bingo ! J'y suis !

– Parfait. Tu vois les fichiers qu'on cherche ?

– Il y en a plusieurs. Veux-tu les consulter pour voir ?

– Non. Prends tout ce qui a un rapport avec le protocole de recherche Zéphir.

– Ils ont sûrement des copies de sécurité sur un disque dur qui n'est pas branché en réseau ou sur des cédéroms.

– Tant pis. N'oublie pas d'effacer nos traces.

– Pas de problème ! On va avoir quelques jours d'avance sur les enquêteurs. Est-ce qu'on leur laisse un souvenir ?

– Non, l'opération doit être complètement anonyme. Ils ne doivent pas savoir ce qui s'est passé.

Martin regardait les fichiers disparaître les uns après les autres avec un sentiment de jubilation. Finalement, le Padrino avait réussi du premier coup et il croyait sûrement avoir la situation bien en main. Il allait voir ce qu'il allait voir ! Lorsque tous les dossiers eurent disparu, Martin téléphona à Sébastien. Il était huit heures du matin. Les jeunes ne tarderaient pas à arriver et, si tout marchait rondement, ce soir ce serait fini.

– Comme ça, ils ont réussi à le retrouver ! Je n'en reviens pas !

Laurent était partagé entre l'admiration et la contrariété. Depuis l'arrestation des Youfs, il avait consacré une grande partie de son temps au Padrino, mais il nageait en pleine purée de pois.

– Où est-il ?

– Il avait loué un vieux presbytère à la haute-ville.

– « Avait » ?

– Oui, il s'est méfié et il a filé. Sauf qu'Alexandrie se méfiait aussi... Elle l'a suivi jusqu'à un appartement du Vieux-Québec, en face de l'Hôtel-Dieu.

– Je retourne au poste pour mobiliser l'équipe. Est-il seul ?

– Il a un complice. Vous n'attendez pas les jeunes ?

– Non. À quelle heure prévoyez-vous que les fichiers seront livrés à InfoBio ?

– Le Padrino a pris de l'avance et il ne voudra sûrement pas la perdre. D'après moi, il va attendre le temps minimal. Je parie qu'à quatre heures cet après-midi, les documents seront rendus. Paul doit nous avertir à la minute où il les reçoit.

– Talam ! Veux-tu appuyer toi-même ? Là, sur *return*.

– Avec joie !

– Et voilà, c'est parti !

– Ils les recevront dans combien de temps ?

– Ils sont en train de les recevoir. Dès que son client va accuser réception, *The Messiah of Doom* saura qu'on a fait notre boulot correctement. Il n'y a plus qu'à attendre.

Dans les bureaux de BioLogic, les Chevaliers attendaient avec impatience. Ils devaient communiquer avec le Padrino dès que Paul aurait reçu les fichiers, une dizaine de minutes avant l'heure convenue avec les policiers pour l'arrestation. Ben était aux commandes mais en ce jour très particulier, les Chevaliers ne faisaient qu'un devant l'écran.

« Mon client a-t-il reçu sa marchandise ? *The Messiah.* »

« Marchandise livrée à seize heures, sans encombre. P°. »

« Beau travail, Padrino, beau travail ! *The Messiah.* »

Le Padrino eut soudain une drôle d'impression. Il resta figé devant son clavier sans répondre.

« Tu ne réponds pas, Padrino ? Ou est-ce le Petit Parrain ? Ah ! Ah ! Ah ! Ah ! Ah ! *The Messiah.* »

Il s'était fait avoir ! Blanc de rage, il lut le message suivant.

« Une amie à moi m'a chargé de te faire ses salutations. Ah ! Ah ! Ah ! Ah ! Ah ! *The Messiah.* »

À mesure que les mots s'inscrivaient sur l'écran du Padrino, ils basculaient dans le vide pour former les rayons de soie d'une toile d'araignée au centre de laquelle une mouche minuscule était prisonnière. Lorsque le dessin fut terminé, la patte d'une araignée traça le nom de *Black Spider* au bas de la toile. Toutes les icônes avaient disparu du bureau virtuel du Padrino. Quel qu'il soit, *The Messiah of Doom* avait pris le contrôle. Le Petit Parrain tourna doucement la tête vers Doigts d'or, qui regardait la scène, estomaqué.

– Allez viens, Doigts d'or. On n'a plus rien à faire ici.

Comme si *The Messiah of Doom* l'avait entendu, la toile fut aspirée par le bas et, des ténèbres, surgit un avertissement qui remplit l'écran :

« T'es fait comme une mouche, Padrino. Rends-toi ! »

– Tu crois qu'on a le temps de filer ?

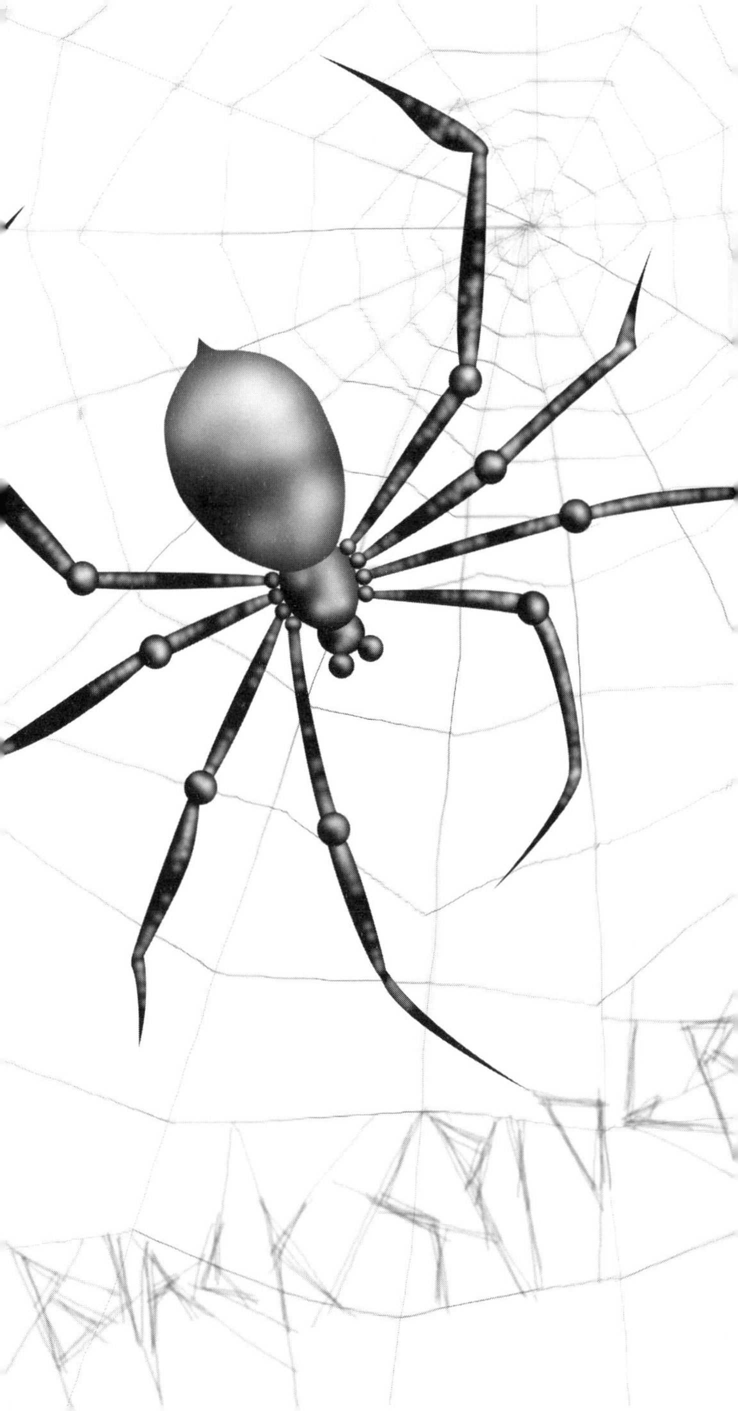

– Personne ne sait qu'on est ici, pas vrai ?

– À moins qu'on nous ait suivis.

– Allez, prends Zoraht avec toi, on se taille.

Ils traversèrent le vieil appartement qui sentait le rance et la soupe aux choux, descendirent l'escalier au papier peint lacéré par l'âge et l'humidité et sautèrent dans un taxi qui passait à leur portée.

Au premier feu rouge, les portes se verrouillèrent et une vitre se dressa entre eux et le chauffeur. Il ne restait qu'un tout petit espace. Laurent Sébastien se retourna.

– Bonjour, Parrain. Comme on se retrouve !

Le Padrino le fixa de son œil noir et un sourire narquois apparut sur ses lèvres minces.

– Inspecteur Sébastien ! Quel plaisir !

Épilogue

LE RÈGNE des Chevaliers tirait à sa fin. Dans un peu moins de deux semaines, ils entreraient au secondaire dans des classes, voire des écoles différentes. Ils tenaient une dernière table ronde avant le départ d'Alexandrie. Ce serait à la fois un hommage à leur chevalière et leur adieu à l'enfance.

Ils avaient obtenu une permission de nuit des parents, dressé des tentes et préparé un feu de camp. Tout en levant un verre de moût de pomme dans une coupe d'argent emprunté à son père, Yan regardait les Chevaliers, ses amis de toujours, essayer de cacher leur tristesse.

– Voyons, les mecs, c'est pas la fin du monde ! On a fini par l'avoir le Padrino !

Il arborait toujours cette drôle de mèche bleue qui tranchait sur ses cheveux courts.

– Te rappelles-tu la serviette de ton père ?

– À ta place, José, je ne rirais pas trop des autres, après la démonstration pitoyable que tu nous as faite de tes talents de photographe !

Les souvenirs refluèrent comme une vague, pleine des bons coups, des mauvais, des fous rires, des engueulades qui avaient lié les Chevaliers les uns aux autres comme un invisible fil d'airain. Même si elle avait voulu, Alexandrie n'aurait pu exprimer l'intensité de la tendresse qu'elle éprouvait pour ses jeunes compagnons d'armes, tant cela faisait partie d'elle. Pour Big Ben en particulier, l'artisan de leur dernière victoire, mais aussi pour José qui avait donné forme à la confrérie trois ans plus tôt, pour Yan la mauvaise tête, pour le silencieux Marc-André avec ses bras interminables et pour Louis-Jacques, généreux et discret. Tout à coup, elle eut envie que quelque chose subsiste et lança à la ronde :

– Qu'est-ce qu'on fait avec le site des Chevaliers ? On pourrait peut-être le garder.

– Pour quoi faire ? Un musée ?

Ben, tout heureux du soutien inattendu d'Alexandrie, passa outre la remarque de Yan.

– J'y ai pensé. J'ai déjà commencé à réfléchir à un jeu de rôles avec nos personnages de chevaliers. Ça nous ferait quelque chose à faire si jamais l'école est trop pénible.

Louis-Jacques, le grand argentier, était déjà à faire des calculs.

– Ouais… ça pourrait même être pas mal payant.

– Comment ça, payant ?

José n'allait pas rater une si belle occasion de prendre une revanche qu'il attendait depuis des mois.

– Tu ne crois quand même pas que Bill Gates, « l'homme le plus intelligent de la planète » comme tu dis, a commencé avec tous ses millions ?

Pour faire bonne mesure, Marc-André, qui était pourtant le sous-doué du groupe en informatique, apporta un appui inespéré.

– Je suis peut-être nul en informatique, mais regardez-moi bien aller si vous avez besoin d'un génie en marketing, les gars. J'en fais mon affaire.

Alexandrie ne se vexa pas de cette exclusion involontaire. Elle s'arrangerait bien pour leur apporter son concours. Révolue, l'époque de la chevalerie ? Voyons donc ! C'est bien connu, une chevalerie meurt à la mort de son dernier chevalier, pas avant ni autrement.

Table